EL BARCO  DE VAPOR

Las alas de la pantera

Carlos Puerto

PREMIO El BARCO DE VAPOR 1994

Joaquín Turina 39 28044 Madrid

Colección dirigida por **Marinella Terzi**

Primera edición: abril 1995
Segunda edición: enero 1996
Tercera edición: octubre 1996
Cuarta edición: junio 1997

Cubierta: *Alfonso Ruano*

Joaquín Turina, 39 - 28044 Madrid

Comercializa: CESMA, SA - Aguacate, 43 - 28044 Madrid

ISBN: 84-348-4667-5
Depósito legal: M-20766-1997
Fotocomposición: Grafilia, SL
Impreso en España/Printed in Spain
Imprenta SM - Joaquín Turina, 39 - 28044 Madrid

En medio de la niebla, tres chicos y una chica caminan por el interior de un bosque, como si estuvieran buscando algo. Ellos llevan arcos en sus manos, ella un carcaj lleno de flechas.

VOGLER: Si los hombres fuéramos tan sentimentales como las mujeres, no seríamos hombres.

GUNNAR: Si las mujeres fuerais tan fuertes como los hombres, no seríais mujeres.

ISAK: Tenéis que reconocer que somos diferentes. Pretender lo contrario sería tanto como pretender cambiar las leyes de la naturaleza; tanto como sustituir la razón por la magia; tanto como pedirle a Dios que a una pantera le salieran alas.

ALMA: ¿Sabéis una cosa? Que ojalá le salgan, porque así podrá volar y alejarse de una vez por todas de la estupidez de este mundo.

(Secuencia 7 del guión cinematográfico *Investigación sobre el vuelo de la pantera*, película que Ingmar Bergman nunca filmó.)

Los poemas de Goethe citados en el texto corresponden a las siguientes obras del autor:

Amante en todas las formas (1780). (Lieder).
El nuevo Amadís (1774). (Lieder).
Salvación (1774). (Lieder).
La amada escribe. (Sonetos).
El parque de Lilí (1775). (Miscelánea).
Canciones para enamorados (1830). (Poesía lírica).

1 *El comienzo de algo*

Lo más extraño no era que la pantera hubiera desaparecido, sino que en su lugar hubieran encontrado unas plumas de ave.

La impresión que me causó el Gran Circo de Manchuria, cuando lo visité por primera vez, fue de desasosiego.

Se había instalado en una explanada desde la que, a un lado, se divisaban los barrios más populosos de la ciudad. El otro terminaba en las faldas de los Cárpatos.

—Buenos días, ¿a quién desea ver? —me preguntó un hombre diminuto vestido de marinero.

—Al jefe, al dueño.

—Quiere usted decir, sin duda, al director —me corrigió amablemente mientras me conducía a una *roulotte* decorada con grandes letras doradas en las que se leía el nombre del circo.

Seiji Khan se volvió al sentir que la puerta de su habitáculo se abría a sus espaldas.

Era un mongol alto, fuerte, con la cabeza rasurada excepto en un largo mechón que parecía salirle de la mismísima coronilla. Este mechón hacía juego con sus bigotes colgantes, que se atusaba constantemente, como si se tratara de un gesto al que no pudiera renunciar.

—Usted dirá.

—He venido por lo de la pantera.

Seiji Khan me miró como si acabara de encontrarse con un intruso.

—¿La pantera? ¿Qué quiere que le diga de la pantera? ¿Que desapareció hace tres noches, cuando había luna llena, etcétera, etcétera...? En fin, que todo lo que tenía que decir ya se lo he dicho a sus compañeros de la policía.

—Perdone, pero se equivoca. No soy policía. Soy periodista. Me ha parecido un buen tema para un reportaje: «La desaparición de una pantera negra en el Gran Circo de Manchuria». Para ustedes supondría una estupenda publicidad.

Como para tentarle, le ofrecí una tarjeta en la que se podía leer mi nombre y el de mi periódico, un diario de gran tirada.

El mongol apenas si le echó una ojeada; se le notaba nervioso, y mientras hablaba miraba disimuladamente a todos lados.

—Lo que pasa es que éste no es el mejor momento para atenderle. Hoy tengo algo muy importante que hacer. ¿No podría volver dentro de unos días?

Aquella *roulotte* era el domicilio fijo del director: su oficina y también su hogar. Olía agradablemente, a sándalo, tal vez a tomillo, pero la decoración resultaba un poco inquietante.

Las paredes estaban cubiertas por posters de antiguos circos nómadas, mezclados con otros en los que se veían personajes de todas las formas y apariencias: desde la mujer con manos palmeadas, hasta el niño con tres brazos, o una especie de hombre lobo con ojos de cordero degollado.

—Si no tiene inconveniente —insistí en quedarme, porque había hecho un largo camino hasta el circo y no quería desaprovecharlo—, me gustaría echar un vistazo al lugar donde estaba la pantera.

—¿Y qué cree usted que va a encontrar allí? Una jaula siempre es una jaula —replicó el mongol sin demasiado entusiasmo por mi visita.

Mientras Seiji Khan intentaba convencerme de que no había nada extraño en aquello que había ido a investigar, mis ojos no dejaban de observarlo todo. Unos diplomas colgados, gafas de todos los tamaños, algunas con los cristales rotos; fotografías de diversas ciudades, esferas de cristal con objetos diversos en su interior; máscaras de cera, de cartón, de madera, de metal, de cerámica, de piel... Una llave medio oxidada.

Y como presidiéndolo todo, arropado por dos velas encendidas, un reloj de arena que evidentemente funcionaba, pues veía caer el fino polvo formando un montículo en su base.

Sin saber por qué, acerqué mi mano al objeto, pero la potente voz de Seiji Khan me detuvo:

—¡No lo toque...! —luego cambió su tono, que se hizo más amable, y añadió con una forzada sonrisa—: ... Por favor.

Por unos momentos, antes de que me disculpara por mi atrevimiento, se escuchó una dulce y lejana música salida de algún instrumento de viento.

—Lo siento.

—Respecto a Java, la pantera, nada sé, sólo que de repente abandonó su jaula y...

—Me gustaría ver esa jaula. Por favor.

Seiji Khan vaciló antes de levantarse. Pude entonces comprobar lo alto y fuerte que era.

—Sígame... —dijo recogiendo la llave medio oxidada que vi al entrar.

Al salir de la *roulotte* del director, noté como si varios pares de ojos se clavaran en mi espalda. Pero aunque me volví con cierta inquietud, no vi a nadie.

Escuché de nuevo, eso sí, el melancólico sonido de una música que salía no se sabe de dónde.

El circo, desde dentro, parecía mayor de lo que aparentaba desde fuera. Era como una pequeña población rodante, cuyos caminos se cruzaban como si fueran las calles de una ciudad.

Un hombre vestido de arlequín hacía malabarismos con mazas, mientras que una chica muy delgada se contorsionaba hasta convertirse en un verdadero galimatías humano.

Más allá se veía un pequeño grupo de payasos que entrenaban sus gracias, mientras que algunos técnicos de mantenimiento reparaban vallas, cosían lonas, o ponían a punto los motores de los vehículos.

En un rincón había un artilugio parecido a un enorme cañón de juguete.

También me fijé en unas mujeres muy orondas y calvas que reían a carcajadas mientras se lanzaban cuchillos la una a la otra, cuchillos que se clavaban en la diana que tenían a sus espaldas.

—Mire, aquí estaba.

La jaula de la pantera tenía forma circular, gruesos barrotes, y su puerta estaba asegurada por un cerrojo y un candado. Pero carecía de techo.

—La pantera formaba parte del espectáculo —me explicó el director—. Y eso que no me gustan los animales en los circos, pues creo que los animales han de estar en completa libertad, siempre —y recalcó *siempre* con evidente energía—. Pero el caso de esta pantera es algo diferente. Lo comprenderá cuando conozca su historia..., si es que le interesa.

—Pues claro que me interesa. Para eso estoy aquí. Pero dígame antes que nada: ¿por qué la jaula carece de techo?

—No me gusta ver a pobres bestias saltarinas en

una pista, ni fieras domadas con látigo y tridente. Pero Java no actuaba, simplemente se limitaba a estar mientras Los Águilas Humanas realizaban sus ejercicios. De esta forma le ofrecíamos al espectador una añadida sensación de peligro.

—¿Quiere usted decir que los trapecistas, los equilibristas, o lo que fuera, en lugar de red, actuaban sobre la jaula de la pantera?

—Así es, por eso la jaula carece de techo.

Los barrotes de la jaula terminaban en puntiagudas lanzas. ¿Se evitaría así una supuesta fuga del animal, o eran elementos dramáticos para dar mayor impresión de riesgo en los artistas?

—¿Quiere entrar? —me ofreció mientras abría el candado y seguidamente el cerrojo.

Di un par de pasos en su interior, fijándome en algo muy extraño.

—Y esto, ¿qué es?

—Ya lo ve, plumas —respondió Seiji Khan entornando los ojos, como si la charla conmigo empezara ya a aburrirle.

—Sí, ya lo veo, pero ¿qué pintan estas plumas en la jaula de la pantera?

Seiji Khan se encogió de hombros.

—En un circo todo es posible.

Y como para subrayar sus palabras, en ese momento apareció por allí una chica con el pelo completamente azul.

—Zampiro quiere hablar contigo. Por lo visto, tiene problemas con el fuego.

—Dile que ahora mismo voy —respondió Seiji Khan acariciando el cabello de la muchacha.

Ella tendría unos trece o catorce años. Vestía un mono de peto que dejaba al desnudo sus hombros, anchos y fuertes. Su cara estaba llena de pecas y sus ojos rasgados tenían el mismo color de su pelo.

Mientras el director dialogaba brevemente con aquella muchacha, me puse a husmear por la jaula. Todavía persistía ese olor a fiera tan característico de los zoológicos. Resultaba evidente que no hacía mucho que la pantera había estado allí.

—Java no es un animal agresivo. Yo más bien diría que era un poco melancólica, lo cual es normal si recuerda lo que antes le he dicho: todos los animales han de estar en libertad. ¿Y qué tipo de libertad es una jaula para una pantera negra?

—¿Entonces...? —comencé a preguntar queriendo saber la respuesta a aquel contrasentido—: ¿Cómo se hizo con ella? ¿Por qué?... Aparte del asunto de los trapecistas.

—Eso forma parte de su historia.

—Pues explíquemela.

—Es un poco larga.

—No importa, tengo todo el tiempo del mundo.

—Usted, tal vez, pero yo no. Hoy he de hacer algo muy importante para mí —el rostro del mongol se volvió duro, como si hubiera dado por terminado el diálogo. Cerró la puerta de la jaula con la llave después de que hube salido—. Además, un circo es como una pequeña ciudad, y tengo tantas cosas que atender... Por ejemplo, a Zampiro.

Zampiro era delgado, casi esquelético, bastante feo, y en su cara había evidentes huellas de haber padecido la viruela.

Sus ojos estaban fijos en una copa de vino vacía. Era una copa elegante, de las que ponen en los buenos restaurantes. Zampiro la observaba con la mirada un poco perdida. Luego se la llevó a la boca y masticó muy despacito el cristal antes de tragárselo. Seguidamente se bebió un vaso de agua.

Seiji Khan ignoró que yo le había seguido, y mientras hablaba con aquel personaje se atusaba los bigotes con mayor inquietud si cabe que cuando llegué a su *roulotte*.

—Hola, Zampiro, Azul me ha dicho que tienes problemas.

—Con el fuego.

—Aquí siempre hay problemas con el fuego —respondió Seiji Khan enigmático, con un gesto de dolor en el rostro.

—¿Por qué no suprimimos este número?

—Ya sabes por qué.

—Algo no funciona en mis tripas —dijo el artista incorporándose al tiempo que echaba un trago de una botella llena de gasolina. Luego sopló aplicando a su boca una tea ardiendo.

El fuego no salió despedido en chorro potente, como solían hacerlo los lanzallamas, sino que cayó al suelo, creando un reguero que ponía en peligro sus pies.

Yo mismo tuve que dar un paso hacia atrás para no quemarme. Entonces volví a sentir las miradas a mis espaldas.

Me volví, y tras las lonas del circo vi dos figuras que me observaban. Una ya la conocía, porque llevaba el cabello de color azul. La otra, tan parecida y al mismo tiempo tan diferente de la primera, tenía una extraña sonrisa. De repente desaparecieron, pero a mí me entraron ganas de saber un poco más de ellas, y las seguí.

Ya que el director no parecía muy dispuesto a proporcionarme la información que necesitaba, tal vez aquella pareja pudiera darme alguna pista.

Eran más o menos de la misma altura, pero el cuerpo de Azul era aparentemente más vigoroso que el de la persona a la que acompañaba echando con toda camaradería el brazo sobre sus hombros.

Parecían dos chicos, amigos y compañeros.

Pero Azul era una chica. Entonces, ¿quién iba con ella? ¿Por qué le echaba su brazo por encima, en un gesto que solía scr únicamente masculino?

Pareció captar mi pensamiento, pues descompuso su postura, pero sin perder el contacto con su pareja.

En esta ocasión fueron sus manos las que se rozaron, y sus dedos juguetearon, unos con otros. Pensé que se trataba de dos amigas de una edad similar.

Aceleré para preguntarles algo sobre la pantera, pero una voz a mis espaldas fue más rápida que yo.

—¡Azul! —exclamó el director con energía—. ¡Ven aquí ahora mismo!

La muchacha se volvió y yo tuve que pararme en seco para no tropezar con ellos.

—Hasta luego, Bela, después hablaremos —dijo Azul a su pareja.

Estaban tan cerca que pude ver sus caras con todo detalle.

Bela era un chico guapo, un poco triste, sin apenas vello en el rostro, pero con mandíbulas fuertes y cejas finas, muy bien dibujadas.

Tenía el cabello rizado y los ojos muy negros, como si fueran caparazones de escarabajo.

Bela primero dijo adiós a Azul con una sonrisa y luego me miró con intensidad y dulzura:

—Hola, ¿buscas algo? ¿Buscas a alguien?

Azul pasó a mi lado. Su cabello, revuelto y casi sin peinar, apenas si cubría su largo cuello blanco. Sus cejas eran gruesas, lo que hacía aún más intensa su mirada.

Bela permaneció inmóvil, esperando mi respuesta, jugueteando con los rizos que medio tapaban sus bonitas orejas.

Alargué mi mano, ofreciéndosela como saludo, pero el muchacho, con un gesto tímido, llevó las suyas a la espalda, como si le diera vergüenza estrechármela.

Inmediatamente, como un flash, me vino a la mente la escena anterior, cuando los dedos de ambos se rozaban. Y vi que si bien las manos de Azul eran las de una persona trabajadora, con durezas, con arañazos y, en algún lugar, la piel levantada, las de Bela eran tan suaves como las de un poeta.

—He venido a saber qué le ha sucedido a la pantera —afirmé.

—Ah, la pantera... —empezó a decir, para enseguida añadir de forma misteriosa—: ¿Quieres que te confiese un secreto? Java soy yo.

2 *Lorelei*

INMEDIATAMENTE después de hablar, se echó a reír de forma nerviosa, como si hubiera revelado algo muy íntimo, algo que turbaría a cualquiera que lo dijera, o incluso a cualquiera que lo escuchara.

—¿Cómo es posible que tú seas una pantera negra? —pregunté para seguir la conversación.

Y por segunda vez escuché aquello de que «en un circo todo era posible», a lo que añadió:

—... Sobre todo si se trata del Gran Circo de Manchuria.

Luego, como lo haría un niño de corta edad, Bela me preguntó:

—¿Vas a quedarte mucho por aquí?

Iba a responderle que nada me gustaría más, pero que no dependía de mí, sino del director, cuando el muchacho añadió de forma un tanto enigmática:

—Quédate, y te contaré mi historia, la historia

de Azul; incluso, si sabes preguntar, la historia de Java.

Todos querían contarme cosas, pero nadie me explicaba nada. De momento sólo eran palabras cargadas de misterio, confusas, pero que acentuaban más y más mi curiosidad.

—Yo soy Bela —me dijo el chico pensando que yo no sabía su nombre—. ¿Y tú?

Le miré a los ojos antes de contestarle:

—Yo soy tu amigo.

Bela se echó a reír, como si mis palabras le inundaran de alegría.

—Estupendo, señor Tuamigo.

Desde entonces, y a pesar de que le dije mi verdadero nombre, Bela sólo me llamó por ese apodo que tanta gracia le hacía: señor Tuamigo.

Nuestra conversación fue interrumpida por la aparición de un nuevo personaje, vestido con mandil blanco y con un enorme cuchillo de cocina en la mano; se acercó hasta nosotros, e ignorándome por completo, le dio a Bela un pescozón a la vez que le regañaba:

—Pero ¿qué haces aquí de cháchara? ¿No sabes que tenemos trabajo? ¡Venga, gandul!

—Adiós, señor Tuamigo —Bela me guiñó un ojo antes de irse.

Apenas tuve tiempo de mover la mano en gesto de despedida.

Me sentí repentinamente solo en medio de aquel

laberinto del circo. A lo lejos podía ver a Seiji Khan hablando con Azul; parecía regañarla, pero la muchacha no mostraba ningún gesto de sometimiento, es más, miraba a Seiji Khan directamente a los ojos, casi con desafío.

El llamado Bela había desparecido, como la pantera.

El tragafuegos ensayaba su número, que cada vez le fallaba más.

Yo no sabía qué hacer, ¿quedarme o largarme? ¿Abandonar la investigación y quizá perder el gran reportaje de mi vida?

Fue entonces cuando escuché algo parecido a un lamento, una especie de canción profundamente melancólica, que procedía no se sabía de dónde, pero que llegaba muy dentro de uno.

Experimenté un escalofrío, sobre todo cuando el sonido trajo hasta mí algunas de sus tristes palabras:

... alguien, no sé qué me grita:
¡Ten cuidado con el río,
mira que es hondo,
siente que el agua está fría.
Y si no sabes amar
morirás entre sus risas!

Me sentí fascinado por aquel sonido mezcla de palabras y de música y, casi sin poder evitarlo, me vi caminando en su busca, como si no existiera otra llamada para mí en el mundo.

Pero ¿acaso aquellas palabras de la canción salían de una garganta humana? ¿No sería la voz de un antiguo fonógrafo, el recuerdo de alguien que ya no existía?

La carpa, en aquel rincón por el que pude introducirme, cubría un recipiente donde el agua lanzaba reflejos a paredes y techo, al suelo y a las personas que se acercaran a él.

Se trataba de una especie de acuario gigante, con capacidad para que dentro hubiera un pez de gran tamaño. Una especie de bañera transparente, a cuya izquierda había un hombre que sostenía, en su única mano, un libro cuyo autor figuraba con grandes caracteres góticos en la portada: Goethe.

Cuando acababa de leer, el hombre dejaba el libro y con su única mano cogía una armónica que llevaba metida en la parte superior de las mallas. De esta forma acompañaba el canto de su extraña compañera:

Quisiera ser pez,
vivaracho y ligero,
y que tú me sacaras,
prendida en el anzuelo.

Esta vez mi escalofrío incluso me obligó a cerrar los ojos por un instante. ¿Tal vez estaba soñando?

La mujer, sin edad definida, tenía un rostro muy hermoso, y la mitad superior de su cuerpo desnudo estaba cubierta por sus largos cabellos pelirrojos.

Su parte inferior reposaba en el fondo del acuario, casi inmóvil, aunque de vez en cuando su aleta plateada alejaba los pececillos multicolores que se atrevían a aproximarse.

Hube de sujetarme a un objeto próximo para no desvanecerme, y al moverme hice un ligero ruido.

La sirena volvió la cabeza hacia donde yo me encontraba. Pero lo hizo lentamente, sin curiosidad ni temor.

Tuve tiempo de esconderme antes de que el hombre manco captara, o mejor intuyera, mi presencia. Cerró bruscamente el libro y se giró con gesto un tanto hostil.

No me vio porque la oscuridad me protegía y, durante unos segundos, ni siquiera me atreví a respirar. En el fondo creía que era mejor morir asfixiado a ser hallado culpable de haber hecho semejante descubrimiento.

—Habrá sido el viento. No te preocupes, que Igor está a tu lado. Te leeré otro poema de las aguas del Rin. ¿Quieres?

La sirena asintió con la cabeza. Sus ojos estaban cargados de lágrimas casi a punto de derramarse.

Igor comenzó a recitar en un tono bastante triste:

Lejos de ti y lejos de los míos,
doquiera mis recuerdos me acompañan,
y siempre en esa hora se detienen,
que es única...
y aún hoy me arrancan lágrimas...

Salí con el mismo sigilo con el que había entrado bajo la carpa y, mientras comenzaba a sonar de nuevo la música y a escucharse la canción o lamento, noté que mi corazón palpitaba de forma acelerada.

¿Qué estaba pasando? ¿Acaso mi imaginación iba por delante de la verdad que había ido a buscar? ¿Qué extraño lugar era ése?

—¿Por qué estoy aquí?

Presentí que lo que me había conducido hasta el Gran Circo de Manchuria no era el reportaje sobre el posible vuelo de la pantera, sino algo más. Algo que todavía no podía precisar bien.

Una vez fuera respiré el aire puro que venía de los cercanos montes Cárpatos. Desde la explanada que había detrás de aquella parte del circo, se podían divisar sus cumbres, aún medio nevadas en esa época del año.

Las laderas eran suaves, blanco y verde oscuro los colores, y algunos jirones de niebla quedaban prendidos de las ramas de los bosques.

Aquél fue el momento en que decidí llegar al final, a las últimas consecuencias del misterio de la pantera negra.

—Perdona —me dijo Azul, que acababa de acercárseme por la espalda, sigilosamente, como si fuera un felino, sin que yo hubiera notado su presencia—, pero dice mi padre que no puede atenderte. Que, por favor, regreses en otro momento —sus ojos rasgados parecían sonreírme con cierto desdén.

—Dile a tu padre, sea quien sea, que he venido hasta aquí para hacer un trabajo, y que sólo hablaré del tema con el director del circo.

Azul sonrió dulcemente antes de responder:

—Seiji Khan es mi padre. ¿No lo sabías?

¡Claro que no lo sabía! Pero ahora que me lo había dicho, me fijé en que entre el mongol y ella había algunos rasgos comunes, y no sólo sus ojos rasgados. Por ejemplo, la seguridad al hablar.

—Mi padre ha tenido que marcharse urgentemente. Por eso me ha encargado a mí que...

El canto de la sirena envolvió las palabras de Azul, como si fuera una bruma.

Olvidándome de Seiji Khan, quise saber algo que me intrigaba aún más:

—¿Quién es? —pregunté señalando hacia donde estaba la singular pecera.

—¿Ella? —Azul respiró profundamente, como momentos antes había hecho yo para llenarme los pulmones de aire puro—. La verdad es que nadie lo sabe a ciencia cierta. Ella dice que es Lorelei, pero eso es imposible.

—¿Por qué?

—Porque Lorelei es la sirena del Rin, y a ella la recogimos en el Danubio.

Lorelei...

Intenté situar los dos ríos europeos en mi memoria y, entonces, Azul me empujó suavemente hacia la salida.

—Mi padre te contará todo lo que quieras saber, no te preocupes. Él sabe de circos más que nadie en este mundo. Adiós, amigo, hasta mañana, hasta pasado mañana, hasta cuando quieras.

Me estrechó la mano como lo haría un hombre. Con fuerza, con firmeza, con determinación.

Y con el mismo gesto decidido, se dio la vuelta y desapareció casi inmediatamente tras unos carromatos.

No sabía qué hacer, cuando escuché que alguien me chistaba.

Era Bela, cuyos párpados caían dulcemente sobre sus ojos negros.

—Vuelve, por favor.

—Me parece que tú eres el único que lo desea.

—No lo creas. Aquí nada es lo que parece. Ya te darás cuenta. Pero ahora tengo que hacer. Vuelve pronto.

También él me dejó, pero a diferencia de la muchacha, se volvió para agitar la mano, en un gesto cariñoso.

—Vuelve pronto, señor Tuamigo...

Bela se dirigió a un perol colocado sobre un fuego de leña, y del que salía un humo aromático. Primero probó el contenido y, comprobando que estaba un poco soso, roció la superficie con un salero; seguidamente lo removió.

Iba a acercarme a él para decirle una cosa que se me acababa de ocurrir, cuando sentí un poderoso calor a mis espaldas.

Zampiro echaba fuego como un lanzallamas. Y por lo visto, había conseguido superar sus dificultades, pues se le notaba tan contento que mientras repetía su actividad no dejaba de reír.

La alegría sólo le duró unos segundos. Casi inmediatamente el fuego descendió hacia la tierra hasta acabar por apagarse del todo.

Y del interior de la casa de lona llegó hasta todos la voz melodiosa, la canción hipnótica de Lorelei:

... mis recuerdos me acompañan...
... aún hoy me arrancan lágrimas...

Abandoné aquel lugar con un mayor desasosiego del que había experimentado al llegar. Pero yo sabía que si bien mi corazón estaba lleno de impresiones, algunas de ellas contradictorias, en mi cabeza sólo había lugar para las palabras que desde la gran pecera llegaban hasta mí.

Sí, estaba claro: tenía que volver cuanto antes al Gran Circo de Manchuria y descubrir su secreto. Fuera éste cual fuera y aunque en ello hubiera, si es que lo había, un tremendo peligro que estaba dispuesto a correr por encima de todo.

3 El sueño de la pantera

VOLVÍ.

Quería que Seiji Khan me contara toda la historia de su circo de Manchuria. Y, lo que era más importante, de todos los que en él vivían.

—Hola —me saludó Azul desde lo alto de una plataforma en la que estaba volcada boca abajo a varios metros de altura.

—Hola. Me gustaría hablar con tu padre... —comencé a decir. Pero ella me interrumpió dando una voltereta en el aire.

—Mi padre no ha vuelto todavía.

—¿Cuándo regresará?

Azul se lanzó al aire, cayendo de pie a pocos pasos de donde yo estaba.

—Ni idea. Tuvo que ir precipitadamente a Brasov. Puede pasarse allí dos o tres días.

O más..., me dije. Porque Brasov estaba al otro lado de la cordillera.

Recordaba el lugar porque una vez tuve que hacer un reportaje sobre la Iglesia Negra, con motivo del incendio que le dio nombre.

¿Acaso Seiji Khan pretendía ocultar algo que yo debía saber? ¿Creía que con estas dilaciones iba yo a renunciar a mi trabajo?

—Pero si quieres, Bela o yo podemos ayudarte.

—Estupendo. ¿Dónde podemos hablar?

—¿Quieres que lo hagamos ahora mismo? —preguntó Azul, limpiándose la magnesia de las manos con un jabón gelatinoso.

—¿Por qué no?

Me miró a través de sus ojos rasgados. La verdad es que nunca había visto a ningún mongol con los ojos azules, pero dado que aquello no era lo único extraño en aquella muchacha decidí seguir adelante sin demostrar mi sorpresa.

—¿Quieres que te cuente cómo llegó la pantera al circo?

—La verdad es que estoy impaciente por saberlo.

—Pues verás, sucedió una noche de lluvia, mientras el circo se trasladaba de Rabka a Presova.

Me dije que las poblaciones a las que se refería posiblemente estuvieran en Polonia, pero no quise interrumpirla con observaciones absurdamente lógicas como que era imposible que una pantera negra estuviera campeando libremente por la Europa Central.

Preferí dejarla hablar y que ella me contara su historia. O al menos su versión de la historia:

—Cuando mi madre y mi padre fundaron el Gran Circo de Manchuria, el público se entusiasmaba con nuestro espectáculo. Venían de todas partes a aplaudirnos, y el circo iba a todos los rincones. Era un circo muy apreciado, de gran éxito. Tal vez porque no sólo visitaba las grandes ciudades, sino porque era capaz de recorrer cientos de kilómetros para acudir a cualquier lugar donde mis padres se sintieran queridos, por pequeño que éste fuera.

»En el primer recuerdo del circo que guardo, veo a mamá allá arriba, en el cielo, retozando, con su vestido de plumas. En el programa se decía que actuaban Los Águilas Humanas, y desde luego, viéndola revolotear nadie hubiera pensando que no era un ave.

»Verlos entrar en la pista ya era un espectáculo: con las capas de seda roja, que parecían flotar sobre sus hombros y que, una vez en los trapecios, dejaban caer desde las alturas. Recordaban grandes pétalos de amapola.

»Mientras saludaban y subían a sus trapecios, siempre sonaba la misma música: el vals de *El Danubio Azul*.

»Luego venía el redoble del tambor.

»El redoble del tambor me fascinaba, me atraía como atraen los espejuelos a las alondras. Cuando lo escuchaba dejaba lo que estuviera haciendo, mis juegos o lo que fuera, y levantaba la mirada.

»—Yo quiero volar —le dije un día a mamá.

»Ella se echó a reír y me estrechó contra su pecho. Mi madre olía muy bien, una especie de mezcla de tomillo y sándalo; y cada vez que me acurrucaba en su regazo, me sentía como embriagada y pensaba que allí podría permanecer todo el resto de mi vida.

—¿Dónde está tu madre? —quise saber, aun a riesgo de interrumpir el relato.

Azul me miró con gesto perdido. No puedo explicar si en aquel gesto había dolor o nostalgia; o simplemente se trataba de que me pedía un poco de paciencia, para que supiera escuchar su historia conforme me la iba contando, paso a paso.

—La veía volar mientras yo comía fresas. Desde entonces ha sido mi fruta favorita. Tal vez porque al verlas tan rojas y jugosas, me acuerdo mucho de mi madre.

Y antes de que pudiera preguntarle nada, me tendió su cuenco de cristal para que cogiera.

—Muchas gracias —al llevar la fresa a mi boca, pensé que sabía de forma muy especial. Dulce y aromática, con un cierto toque de amargor—. Continúa, por favor.

—Mamá estaba verdaderamente hermosa cuando salía a la pista, cuando subía al trapecio, cuando se lanzaba por los aires de los brazos de papá a los de Igor.

—Pero, Igor... —volví a interrumpir de forma espontánea, recordando que a Igor le faltaba una mano.

—El accidente vino después. Por aquel entonces era el mejor portor de todos los circos del mundo. Recogía a mi madre en el aire como si fuera una pluma; y como si fuera una pluma se la devolvía a mi padre con una sonrisa. Mi madre, en el vacío, era capaz de dar tres giros completos antes de finalizar su número. Los aplausos eran interminables.

—Me lo imagino. Pero entonces, ¿estaba la jaula?

—No, todavía no. La jaula llegó con Java. Cuando mis padres eran los mejores Águilas Humanas de todos los circos, el espectáculo se hacía sobre red. Mi padre no hubiera permitido por nada del mundo que a mi madre le pasara algo malo. Y sin embargo...

Esperé a que Azul, que estaba acariciándose el lóbulo de su oreja izquierda, continuara. No deseaba volver a interrumpirla con preguntas estúpidas.

—... Sin embargo, la felicidad no siempre era completa. Cuando mis padres estaban de buenas, eran las personas que más se besaban del mundo, me encantaba ver cómo se besaban. Pero de vez en cuando discutían. Entonces, a mí me llevaban a la *roulotte* de al lado para que no les viera pelearse.

—¿Por qué discutían?

—Siempre por lo mismo: celos. Mi padre, como buen mongol, era muy celoso. Mi madre, como buena cíngara, un poco coqueta. Le gustaba que la admirasen, que le dijeran que estaba muy guapa, que era la mujer más bonita del circo. Y eso a mi padre unas veces le enorgullecía, pero otras no lo podía soportar. Entonces las peleas eran a gritos. Yo me tapaba los oídos con la almohada y me decía que cuando acabase el enfado se volverían a besar de nuevo, que yo lo vería y todos seríamos felices. Pero a veces, para olvidarme de lo que pasaba, me contaba cuentos en los que viajaba a países lejanos. Creo que fue en uno de esos cuentos en el que, como en un sueño, apareció por primera vez la pantera.

—¿Cómo sucedió?

—Estaba sola, en el otro remolque; mi padre acusaba a mi madre de cualquier tontería, de que si había mirado o dejado de mirar. Cerré los ojos... y entonces la vi. Estaba en la oscuridad, inmóvil, y no me di cuenta de lo que era hasta que me fijé en sus ojos amarillos, muy intensamente clavados en mí; luego sacó la lengua rosa para relamerse, mostrándome sus dientes blancos y afilados.

—¿Te atacó?

—Sólo estaba en mi imaginación. Aunque me hubiera atacado, no me habría pasado nada. Con abrir de nuevo los ojos, me habría salvado. Pero preferí seguir con ella, porque me hacía olvidar lo que sucedía muy cerca, entre mis padres. Sin embargo ella no quiso quedarse conmigo, se dio la vuelta y desapareció.

—¿Volviste a verla alguna otra vez?

—Alguna vez, siempre de lejos, confundida entre mis sueños o entre mis pesadillas, siempre mezclada con la disputa de mis padres. Pero cuando la vi de verdad, aquella noche de lluvia, estuve segura de que era ella, la misma.

—Háblame de esa noche de lluvia.

—Todavía no. Has querido saber mi historia, y te la voy a contar, pero a mi manera. Además, si no sabes lo que pasó antes, tal vez nunca sepas por qué la noche de luna llena desapareció la pantera, ¿verdad?

Azul estaba en lo cierto. Me sorprendía que razonase como una persona mayor, ella que no pasaría de los catorce años. ¿Tal vez la dura vida nómada de un circo enseñaba más que un colegio o que los libros?

—Decidí imitar a mis padres, incluso superarlos, aunque sabía lo difícil que era eso. Me propuse hacerme amiga de los trapecios, no sólo volando, sino también aprendiendo cómo estaban hechos, cómo se tensaban los cables, las leyes del equilibrio, de la gravedad, en fin, todo de todo. Yo también quería ser Águila Humana. Mi maestro fue Zampiro.

—¿El tragafuegos?

—El tragafuegos, el comevidrios, el que es capaz de dormir sobre una cama de pinchos, o de atravesarse la mano con una espada sin echar una gota de sangre. Él había estudiado con los gurús y faquires de la India, con los *shadus* del Nepal, y sabía lo que era la espiritualidad, la constante superación. ¡Estaba segura de que a su lado iba a conseguirlo!

—¿Qué deseabas conseguir? ¿Ser la reina del trapecio?

Azul me miró con una sonrisa de cierto desdén.

—A veces los mayores no entendéis nada de nada. Yo sólo quería ser feliz, para luego poder enseñárselo a mis padres. Estaba segura de que podía ayudarlos, como aquella vez en que conseguí que sus lágrimas se convirtieran en risas, y en alegría su dolor.

—¿Podrías contármelo?

—Estaban discutiendo, como tantas veces. Pero aquella noche, mi padre estaba más furioso que nunca. Había notado que mi madre había tenido un ligero fallo en el trapecio.

»—¡Has podido caer! —exclamó furioso.

»—Imposible. Igor me ha agarrado a tiempo.

»—No estoy hablando de Igor, sino de ti. Te has

lanzado al vacío unas décimas de segundo tarde. En efecto, Igor ha corregido tu fallo, pero el error ha sido tuyo. ¿Dónde tenías la cabeza?

»Mi madre se dio la vuelta para preparar la comida, pero mi padre la retuvo con un gesto brusco:

»—¡Cuando te estoy hablando, me escuchas!

»Yo sabía que a mi padre le preocupaba sobre todo la vida de mi madre, y que aquella explosión de furia tenía como intención primordial el evitar que mi madre se cayera del trapecio por culpa de cualquier distracción.

—¿A pesar de la red? —pregunté.

—Más de uno se ha roto un brazo o incluso el cuello en una mala caída sobre la red.

Azul entornó los ojos antes de proseguir:

—Por lo general, mi madre escuchaba en silencio, agachando la cabeza. Pero aquella noche no sé en qué estaría pensando, porque se le enfrentó.

»—¿Con quién te crees que estás hablando? ¿Es que en tu vida sólo existe el circo, el trapecio, el público? ¡Qué equivocado estás, Seiji Khan! Qué equivocado, si no sabes que en la vida hay muchas otras cosas, muchas otras personas...

»Mi padre levantó la mano, tal vez con la intención de pegarle. Nunca lo había hecho, al menos yo nunca lo había visto. Pero no pude evitarlo, le sujeté fuertemente el brazo.

»—No lo hagas, papá, por favor...

»Hizo un esfuerzo por soltarse, pero mi decisión me había dado una fuerza que no sabía bien de dónde salía, y mis dedos se clavaban en su muñeca como si fueran garras. No estaba dispuesta a que pegara a mi madre, ni siquiera a que la amenazara. Repetí mordiendo las palabras:

»—Por favor, papá...

»Mi padre se desmoronó como si hubiera recibido, a través de mi mano, una descarga eléctrica. Se dejó caer sobre el catre y ocultó su cara entre las manos. Yo entonces comencé a besarle como solía hacer de pequeña, por el cuello, por las orejas, jugueteando y, al mismo tiempo, haciéndole cosquillas cariñosas.

»Mamá se unió a nuestras caricias y acabamos los tres revueltos como lo hacen los oseznos cuando son jóvenes, mordisqueándonos y riendo.

—¿Se repitió alguna vez una escena parecida? —quise saber.

—Mi padre es fuerte y duro. Muchas veces me ha explicado que para llevar un circo tiene que serlo, incluso a mí me enseñó a seguir sus pasos. Creo que hubiera preferido tener un hijo, pero no le he defraudado. Incluso cuando aquella noche le hice frente, en el fondo, tal vez se sintió orgulloso de mí. Sin embargo, yo estaba triste...

—¿Por qué?

—Porque me gustaba el circo, sí. Me gustaba y me gusta desafiar al viento, lanzarme por los aires y agarrarme en el último momento a la barra de acero que se balancea. Creo que no podría vivir sin esto, pero... Pero también tenía ganas de ser una chica y de enamorarme como lo estaban mis padres.

—A pesar de sus discusiones, ¿crees que estaban enamorados?

—Más que nadie en el mundo. Si mi padre tenía celos, los tenía por amor. Sabía que en todo el mundo no podría encontrar a otra mujer como mamá. Y si mamá le daba celos alguna vez, también era por amor, para probarle, para sacar del gran felino mongol su lado sentimental, su corazón.

—¿Felino mongol?

—Así le llamaba a veces, casi siempre antes de empezar a besarle. Cuando se peleaban solían echarme, ya te lo he dicho, pero cuando se besaban me quedaba allí, mirándolos hasta que cerraban la puerta de la *roulotte* en mis narices. Sólo entonces dejaba de ver a dos personas que lo eran todo el uno para la otra.

Azul llevó a su boca la última fresa del recipiente. Por un momento el jugo rosáceo resbaló por sus labios y, a pesar de que se lo limpió con el revés de la mano, dejó una huella de color en su boca, como si se hubiera maquillado. Me pareció mayor de la edad que tenía.

—No me has hablado de la pantera.

—Te he contado mi sueño. Además, las panteras también son felinos, ¿no te parece? —me respondió enigmática.

Comprendí que tenía que tener paciencia. Azul me iba a contar lo que deseara, tal y como ella deseara.

Asentí, intentando imaginar cómo era el Gran Circo de Manchuria en los momentos de mayor apogeo. Intenté ver a la pantera en su jaula, mientras Igor, Seiji Khan y su esposa se lanzaban al vacío. Pero no, Azul me había dicho que cuando Seiji Khan y su esposa hacían el número juntos, aún no había aparecido la pantera.

—¿Cómo era tu madre? ¿Tienes alguna foto de ella? —quise saber, recordando que en la *roulotte* de Seiji Khan no había visto foto de mujer alguna.

—No. Mi padre las quemó todas —Azul parecía sentirse repentinamente triste—. Ahora tengo que dejarte —dijo con cierta brusquedad.

Antes de que me hubiera dado cuenta, me había quedado solo. De nuevo solo.

En ese momento sentí un escalofrío. A mis espaldas pude escuchar perfectamente un rugido.

Me volví con temor, a tiempo de ver cómo una figura, casi una sombra, se escabullía, escondiéndose tras unos fardos.

4 *El incendio*

LA sombra era negra, como la piel de una pantera.

Pero tras los fardos sólo se encontraba Bela. Estaba peinando unas pelucas un tanto llamativas, de las que usan los payasos.

No lejos de allí se podía ver al malabarista con la contorsionista, esta última sobre una cama elástica. Parecían llevarse bien y entrenaban juntos.

El hombre menudo, que ahora no iba vestido de marinero sino de astronauta, con casco en la cabeza, me dijo adiós con la mano.

Bela no se volvió al escuchar mis pasos, pero rugió de nuevo antes de rematar su gesto con una risa nerviosa.

—Ya te dije que Java era yo, y no me creíste.

—Precisamente estoy aquí para que me hables de la pantera.

—¿Sí? ¿Estás seguro de que lo quieres saber todo, señor Tuamigo?

¿Qué quería decir aquel muchacho que ahora se

colocaba una peluca azafranada, con la que, por un momento, me recordó a Azul?

Pero no, no era por la peluca, evidentemente de distinto color que el cabello de la muchacha, sino porque Bela se había pintarrajeado un poco la cara, haciendo más gruesas sus cejas.

—¿Te quieres probar una? —me ofreció un muestrario de pelucas de todas las formas y colores—. En un circo, como en el carnaval, son importantes. A veces nos sirven para escondernos, para disfrazarnos. Pero es necesario cuidarlas.

—¿Tú eres el encargado?

—Casi desde que llegué al circo.

—¿Cuándo fue eso?

—Uf, mucho antes del incendio.

—¿El incendio de la Iglesia Negra de Brasov?

—Nunca he oído hablar de ese incendio —respondió Bela con gesto ingenuo—, me refiero al incendio del circo.

Ahora era yo el que no había oído contar a nadie que aquel circo había padecido un incendio. Iba a hacerle una nueva pregunta a Bela, pero él continuó con la mirada perdida, soñadora.

—Está bien —repliqué resignado. Estaba visto que en aquel lugar nadie iba a contestar directamente a mis preguntas, y que si quería averiguar algo, tendría que dejarme llevar por sus palabras y escuchar—. Cuéntame cuándo apareció Java.

—Una noche de lluvia, ¿no te lo he dicho?

Me lo había dicho Azul, pero era igual; asentí.

—Fíjate qué tontería, primero el fuego, luego la lluvia. Y al final el aire... —Bela hizo un gesto chascando los dedos, a la vez que miraba hacia arriba. Tal vez se refería a los juegos del trapecio, tal vez a la desaparición del felino, como por arte de magia.

—Sigue, por favor.

—Dicen los libros que la cordillera de los Cárpatos cruza varios países y que se parece a un arco. Y también los libros explican que hace mucho, mucho tiempo, un gigante en forma de nube cargó una flecha en ese arco y la disparó a los vientos.

Conocía aquella leyenda, pero ¿qué tenía que ver con lo que yo había ido allá a buscar?

—Sigue, por favor.

—El gigante era fuerte, capaz de atraer a las tormentas cuando su cuerpo se volvía oscuro, o al atardecer cuando adquiría el color del cobre. El disparo había sido hecho con tanta fuerza, que la flecha dio la vuelta al mundo, regresó a las montañas y se clavó en el punto más alto.

Según la leyenda popular la flecha se había clavado en el Tatra, la cima de los Cárpatos. Bueno, ¿y qué?

Bela me dio la respuesta:

—Dicen que en ese punto nació la vida y que allí mismo la vida se transformó por un día. Las flores se convirtieron en pájaros, los pájaros en ríos, los ríos en animales salvajes, los animales salvajes en hombres, los hombres en viento, el viento en... Pero también dicen que, en realidad, la flecha estaba buscando algo que todavía no ha encontrado.

—¿El qué?

—Si lo deseas, un día subimos al Tatra y lo buscamos juntos, ¿qué te parece? —me preguntó con una sonrisa.

—Pero ¿sabemos lo que tenemos que buscar?

—¡Claro! La flecha. Dicen que aquel que la encuentre descubrirá el secreto de los Cárpatos.

—¿Y qué pasará cuando se desvele ese secreto?

—Pues que todos seremos iguales. Azul, Java, Seiji..., tú.

—¿Qué tengo yo que ver con el circo?

Bela se encogió de hombros, sonriendo.

—Tú sabrás, señor Tuamigo, por algo has venido aquí, ¿no?

Comprendí que Bela no estaba hablando del circo, sino de lo que decía la leyenda del mundo.

El muchacho, de repente, cambió de tema para preguntarme como si fuera la cosa más inocente del mundo:

—¿Alguna vez has comido fresas?

Le iba a decir que hacía un momento, cuando puso un dedo sobre mis labios rogándome que guardara silencio.

—La noche del incendio no había fresas, ¿sabes? Azul me lo ha contado. Todo comenzó en la función que el circo dio por la tarde. ¿Quieres que te lo cuente?

Me dispuse a escucharle atentamente.

—Los trapecios siempre me han dado miedo. Sólo escuchar la música de *El Danubio Azul* y, sobre todo, el redoble de tambor que anunciaba a Los Águilas Humanas, se me ponía carne de gallina. Solía marcharme lo más lejos posible de la pista, allá donde ni siquiera pudiera escuchar el chirrido de los alambres en los números aéreos.

Cerré los ojos intentando percibir ese sonido metálico de los trapecios yendo y viniendo sujetos por los cables de seguridad, ese sonido que se hacía aún más evidente ante el tenso silencio de los espectadores.

—Aquella noche Lorelei estaba sola. Yo solía ir a visitarla para escuchar sus canciones de otros mundos. Pero aquella noche no, yo no tenía ganas de estar con nadie. Bueno, la verdad es que sí, me apetecía estar con Azul, pero Azul estaba en la pista, con sus padres. Entonces escuché el canto, como si fuera únicamente un pensamiento de mi cabeza:

> *Ten cuidado con el río,*
> *mira que es hondo...*

—Sin saber muy bien por qué, pensé que tal vez yo también venía de algún río.

—¿Y es así?

—Tal vez haya un río donde he nacido, tal vez...

—¿Dónde has nacido?

—Dicen que en Hungría. Bela es un nombre húngaro, ¿sabes? Pero lo único que recuerdo es que crecí en el circo.

—¿Cómo llegaste hasta aquí?

—Aparecí de repente —respondió Bela con una sonrisa que pretendía ocultar su nerviosismo—. Eso dicen. Pero es imposible, ¿verdad?

—Depende de lo que tú entiendas por *de repente*.

—Pues ¡plaf!, como en un número de magia. Por lo visto mis padres me abandonaron cuando yo era muy pequeño.

—¿No conociste a tus padres?

Bela negó con la cabeza. La sonrisa se le había congelado en los labios. Era evidente que si quería saber algo más de la pantera, tenía que cambiar de tema.

—Háblame de Java.

Pero Bela parecía prendido de su recuerdo. Manifestó en voz alta una especie de pensamiento, tal vez con el deseo de compartirlo conmigo:

—De noche es cuando me siento más a gusto. Nadie me encarga hacer cosas. Porque la verdad es que desde que llegué al circo todo el mundo me da órdenes. Que si tienes que hacer esto, o aquello. Todos, menos Azul...

—¿Y por qué te dan tantas órdenes?

—Seguramente porque no pertenezco al circo. No sé.

—Perteneces como Java, como Lorelei...

—No lo creo. Lorelei es como es, y Java formaba parte del espectáculo, pero yo... no soy nada.

—¿Por qué dices eso? Ayudas a todos.

—Tú lo has dicho, señor Tuamigo —Bela intentaba bromear, pero se le notaba muy triste—. Ayudo a todos, pero no hago nada por mí mismo. De momento...

En sus ojos negros como la piel de la pantera, noté una firme decisión. Bela entonces volvió al hilo de su relato:

—Aquella noche, cuando el espectáculo ya había terminado, mientras paseaba mirando las estrellas, creí que todo el mundo estaba dormido, menos yo. Pero me equivoqué. De repente escuché unas voces en la *roulotte* de Seiji Khan. Estaban discutiendo y me acerqué. Soy un poco curioso, ¿sabes? Si hubiera tenido padre o madre, cada vez que hubiera querido aprender algo, se lo habría preguntado a ellos. Pero como no los tengo, cada vez que quiero saber cualquier cosa tengo que descubrirlo por mi cuenta. Como aquella noche.

—¿De qué discutían?

—Seiji Khan le echaba en cara a su mujer que

aquella noche había perdido la concentración por unos instantes. Un poco más y se estrella contra el suelo, al menos eso es lo que dijo. Y dijo que era algo que últimamente se estaba repitiendo con demasiada frecuencia. Que eso le pasaba por mirar a donde no debía, a quien no debía...

—¿Se refería a alguien en particular?

—No lo sé, no dijo ningún nombre. Sólo eso, que cuando actuaba no debía mirar a nadie más que a él.

—Y ella, ¿qué respondió?

—Una cosa muy rara. Le dijo «Felino mongol, tú estás loco..., estás loco de amor».

—¿Por qué crees que le dijo eso?

—Porque Seiji Khan quería a su mujer más que a nadie en el mundo y sólo de pensar que podía perderla...

Noté cómo Bela tragaba saliva. Tal vez con los recuerdos se le había hecho un nudo en la garganta, pero enseguida se repuso y continuó mirándome muy fijamente a los ojos:

—Pero me extrañó más aún lo que él le respondió a ella: «Si pudieras ver mi corazón por dentro, verías que es como un bosque en llamas» —Bela hizo una pausa antes de proseguir—: Y luego, después, aquella misma noche, cuando ya me había acostado... escuché el crepitar del fuego, sentí su calor, vi su resplandor...

—¿Cómo se originó el incendio?

—Eso nadie lo sabe, no creo que nadie lo sepa nunca. Ni la investigación, ni las opiniones de unos y otros aportaron la menor pista.

—¿Fue un incendio grande, irreparable?

—Fue un incendio pequeño, pero irreparable. Al menos para Azul y para Seiji Khan...

—¿Qué sucedió?

—Nadie sabe cómo pasó, nadie sabe por qué pasó. Pero todos nos salvamos del fuego, excepto ella.

—La madre de Azul...

En el silencio que siguió a mis palabras me pareció escuchar el rugido de la pantera. Un rugido lejano, nacido de la noche. Pero ¿de qué noche? ¿La de ahora o la del incendio?

Así es que la mujer de Seiji Khan había muerto...

—Y al morir, Seiji Khan cambió. Primero hizo desaparecer todas las fotos de ella.

—¿No queda ninguna? —pregunté con la esperanza de poder contemplar la imagen de aquella mujer a la que el director del circo había amado con pasión.

—Imposible, le harían sufrir demasiado. Luego, Seiji Khan quiso suprimir el número del trapecio. Azul se lo impidió. Le dijo que había que seguir con él en memoria de su madre y que ella sería quien la sustituiría. Y entonces Azul le propuso...

Bela vaciló antes de continuar.

—¿Qué?

—Le propuso que yo...

—¿Tú en un trapecio? —pregunté sorprendido.

Bela me miró profundamente a los ojos.

—Ya veo, señor Tuamigo, que piensas lo que todos los demás, que no sirvo para nada, sólo para ayudar.

—No es eso, pero sabiendo cómo eres...

—¿Y cómo soy? ¿Cobarde? ¿Quieres decir que soy cobarde porque me dan miedo las alturas? —los ojos de Bela estaban al borde del llanto.

Por mi parte comprendí que había dicho algo inoportuno en un momento inoportuno. Alargué mi mano hacia el muchacho y acaricié su cabello rizado.

—Quiero que sepas que el señor Tuamigo lo es de verdad, ¿comprendes? Tu amigo de verdad.

Bela respiró profundamente antes de asentir con un gesto de esperanza.

—De acuerdo. Yo también soy tu amigo, por eso te cuento lo que pasó. Luego, cuando lo sepas todo, tal vez puedas ayudarme...

—¿Yo a ti? —Bela había vuelto a sorprenderme, pero para no interrumpirle de nuevo asentí—: Está bien, haré lo que me pidas.

—¿Y si te pido que te subas allí? —me preguntó poniendo cara de niño malo, a la vez que señalaba el trapecio.

—Dime una cosa, Bela. Si Seiji Khan odia el fuego, y después de lo que pasó es lógico que lo odie, ¿por qué sigue haciendo Zampiro su número de lanzallamas?

—Te lo dije una vez, te lo digo otra. Aquí las cosas no son como les parecen a los de fuera. ¿No has visto las velas en su *roulotte*? Siempre encendidas. Una especie de homenaje, imagino. Así, cada vez que Zampiro sale a la pista se acuerda de ella.

Una forma un poco desesperada de recordar a alguien querido, me dije. ¿No habría sido más fácil desterrar el fuego para siempre, como hizo con las fotografías de su mujer? Pues no. En su lugar lo había convertido en una especie de recuerdo permanente. Y otra cosa: desde entonces no había vuelto a sonar la música de *El Danubio Azul*.

—Pero, respecto al fuego, ¿no habéis intentado hacerle cambiar de opinión?

—Azul lo ha intentado muchas veces, pero entonces discuten, y él acaba encerrándose en su *roulotte*, donde contempla fijamente su reloj de arena y bebe sin parar. La verdad es que comprendo su dolor. Su mujer muerta y encima lo de Igor...

—¿Qué le pasó a Igor?

—Durante el incendio se lanzó a apagarlo, intentó salvar a los padres de Azul. Con Seiji Khan lo consiguió, con su mujer en cambio... Además, el fuego afectó a una de sus manos y la perdió...

—Difícil trance para un trapecista.

—Pero él no dejó el trapecio por eso, sólo se transformó. Y lo que antes sujetaba con sus manos de portor, ahora lo sujeta con los dientes.

—¿Un trapecio con los dientes?

—Es fuerte, ahora es mucho más fuerte que antes. ¿No lo has visto actuar? ¡Es fabuloso! Yo creo que después del accidente la gente venía a vernos porque la noticia del incendio había corrido como la pólvora. Y porque uno de los trapecios lo sujetaba un manco con la boca. Pero Seiji Khan, que quería dejar el trapecio y dedicarse sólo a la dirección del circo, Seiji Khan, que además había comenzado a beber más de la cuenta, insistió en que yo formara parte del número.

—¿Subía bebido al trapecio? —pregunté pensando en los riesgos.

—No solía beber hasta que terminaba el número. Aun así... —respondió Bela con gesto melancólico—, él quería que yo le sustituyera para proteger a Azul.

—¿Y tú no lo hiciste?

Bela negó con la cabeza, en silencio.

—¿Es que no te apetecía trabajar con Azul?

Bela me lanzó una mirada un tanto furiosa. Era la primera vez que su aparente fragilidad se transfiguraba. En aquella mirada había dureza, incluso un punto de desprecio. Pero afortunadamente duró muy poco, pues casi enseguida recuperó su sonrisa nerviosa.

—Me encanta estar con Azul. Pero... ya te he dicho que me daban miedo las alturas.

—¿Por culpa del vértigo?

—No lo sé, tal vez, es posible... Habría dado algo por trabajar con Azul, por poder coger sus manos en el aire, después de dar el triple salto mortal sobre la jaula de la pantera. Pero, por más que lo intenté, y te juro que lo intenté, no pude; créeme que no pude. Era más fuerte que yo. Y Seiji Khan, enfadado, me apartó de su lado. En realidad todos los artistas del Circo de Manchuria me apartan de su lado. Te has fijado, ¿verdad?

—Sí, me he fijado —dije pensando en las palabras que podían consolarle. Pero la actitud de Bela cambió de repente:

—¡Pues tenían razón! ¿Y sabes por qué? Porque si le pasaba algo a Azul, la culpa sería mía.

—No, Bela, no —le dije echando un brazo sobre sus hombros—. La culpa sería de su padre, no tuya.

El muchacho parecía muy convencido de lo contrario.

—Aunque lo peor de todo... —comenzó a decir.

—Lo peor de todo —me arriesgué a aventurar—, lo peor para ti es que Seiji Khan quiere que te apartes de Azul, ¿no es eso?

—Veo que también te has dado cuenta —sonrió con amargura para decir—: Señor Tuamigo, ¿sabes que eres muy listo? —luego, volvió a su gesto serio—: Creo que aquél fue el momento en que me dije que por Azul sería capaz de cualquier cosa. Y que si era capaz de cualquier cosa, nadie podría separarme de su lado.

—¿Qué significa *cualquier cosa*?

Bela estaba muy inquieto, su pulso se había alterado y sus manos denotaban cierto temblor.

—También habría dado algo por haber podido ayudar a Seiji Khan. Se le veía tan triste, tan abatido..., y bebía a escondidas. A veces, para no demostrar lo que sentía, echaba una bronca a destiempo o castigaba excesivamente al que había hecho algo mal. Todos callábamos, por respeto a su dolor. Todos, menos Azul.

—¿Se le enfrentaba? ¿A pesar de que su madre...?

—Yo creo que era precisamente por eso. De repente había dejado de ser sólo hija, ahora era también esposa, compañera, amiga, casi una hermana para su propio padre. Y sabía que si nadie le decía las cosas tal como eran, Seiji Khan podía morirse de amor.

En poco tiempo había oído hablar un par de veces de amor, pero de la forma más extrema. Locura de amor. Morir de amor.

—Dime una cosa, Bela, ¿qué piensas tú de ese amor?

Bela primero inclinó la cabeza, antes de suspirar y exclamar casi sin mirarme:

—Era lo más hermoso del mundo. Era hermoso ver cómo se besaban. Me habría gustado tener unos padres así. Si miras a los ojos de Azul, comprenderás lo que quiero decir. Dentro de sus ojos está ese amor.

Azul parecía haber escuchado nuestras palabras, porque de repente apareció junto a nosotros. Llevaba una camiseta de manga corta de color rosa, un poco mojada de sudor, que se ajustaba a su cuerpo.

Por primera vez me di cuenta de que tenía formas de mujer, de que bajo esa camiseta mojada se perfilaban sus desnudos pechos adolescentes.

—Bela —dijo con mucha dulzura—, el cocinero te está buscando.

Imaginé al hombre del delantal blanco con el gran cuchillo en la mano.

—Ahora voy —respondió Bela poniéndose en pie de un salto—. Sólo falta calentar la comida.

—¿Es que un cocinero no puede calentar él mismo la comida? —pregunté molesto por la interrupción.

—Yo estoy aquí para ayudar en lo que haga falta —aseguró Bela sin perder la sonrisa mientras se alejaba; pero quise creer que esa sonrisa era un poco más triste que la de otras veces.

Azul suspiró antes de preguntarme:

—¿Quieres quedarte a comer?

* * *

Me invitaron a comer y luego a cenar, y más tarde incluso me ofrecieron alojamiento por aquella noche, si es que quería quedarme con ellos.

Aquel día no hubo función. Ni siquiera les pregunté por qué. Bastantes preguntas había hecho hasta entonces.

Tal vez se tratara de su jornada de descanso, tal vez aprovecharon la ausencia del director y principal trapecista de Los Águilas Humanas para tomarse el día libre.

En el fondo me alegré de que faltara Seiji Khan, y me alegré de sentirme a gusto con aquella singular pareja de chicos, tan distintos y, en cierta medida, tan complementarios.

Aprendí muchas cosas en poco tiempo, a la vez que mi investigación caminaba en espiral hacia el núcleo del enigma. Estaba seguro de que en mis manos tenía el mejor reportaje de mi vida.

Mientras cenaba, contemplé a todos los que formaban el Gran Circo de Manchuria, que se comportaban como una familia muy especial.

El malabarista estaba entrenando, o quizá simplemente jugando, esta vez con los plátanos y las manzanas del postre.

La contorsionista tomaba su sopa de una forma imposible, con la cabeza entre las piernas.

Junto a un forzudo mecánico que tragaba un bocadillo, el enano bromeaba entrando y saliendo de la boca de un extraño cañón pintado de purpurina.

Zampiro siempre terminaba masticando el vaso después de haber bebido en él.

Igor, por su parte, iba y venía de la carpa donde, sin duda, reposaba Lorelei.

Y las dos mujeres calvas, al terminar la cena, después de tirarse unos cuchillos que siluetearon sus cuerpos, se pusieron a cantar acompañadas por la música de saxo y acordeón de los payasos.

Se trataba de una canción popular centroeuropea, muy animada y picarona, que hizo reír a unos y otros, y en la que incluso participaron de forma activa algunos espontáneos bailarines.

El enano, animado por aquel espíritu de camaradería, guiñó un ojo al mecánico, se puso el casco y se metió en el cañón que parecía de juguete.

Tras un redoble de tambor, fue disparado el cañón, y el diminuto astronauta saltó por los aires a la vez que lanzaba un grito de júbilo.

Tras dar varias volteretas en el vacío, fue a caer

sobre la cama elástica, situada bastantes metros más allá.

Me quedé boquiabierto de su habilidad, a la vez que sus compañeros aplaudían al hombre-bala.

Pero, mientras tanto, ¿qué hacía mi pareja favorita?

Disimuladamente, los vi susurrarse palabras al oído, como si estuvieran contándose secretos. Se les notaba muy cerca, tal vez porque por primera vez en mucho tiempo estaban solos; solos sin la presencia de Seiji Khan, y se sentían más libres.

En un momento dado, Azul se dio cuenta de que los observaba, y puso sus dedos en los labios del muchacho. Bela, antes de callar, se los besó. Luego me miró, entre el crepitar del fuego de la hoguera que calentaba la comida, y me sonrió como lo haría un niño al ser descubierto en falta.

Pude contemplar el perfil de los Cárpatos, no muy lejanos, no demasiado próximos. Por detrás de la cordillera se podían vislumbrar algunos débiles resplandores, tal vez de una tormenta que se acercaba hasta nosotros, tal vez de una tormenta que se alejaba para no regresar jamás.

Cuando salió la luna y el silencio total se apoderó del Gran Circo de Manchuria, paseé por sus instalaciones sin hacer el menor ruido.

Estuve en la jaula vacía, allá donde la pantera había dejado como toda pista de su desaparición unas plumas de ave.

Luego, quise acercarme hasta donde descansaba

Lorelei, pero el recinto estaba cerrado con una cremallera, y temí que si la abría tendría que dar explicaciones al lector de los poemas de Goethe que, seguramente, dormiría a su lado.

Por fin pasé junto a la *roulotte* de Seiji Khan. Y hubo algo que me llamó poderosamente la atención. A pesar de que el director del Gran Circo de Manchuria estaba ausente, dentro de su vivienda ambulante se divisaba una luz.

¿Tal vez ya había regresado y no me había dicho nada?

¿O tal vez es que nunca se había ido, y estaba escondido para no tener que contestar a mis preguntas?

Me acerqué de puntillas, pero dentro del vehículo no se oía el menor ruido. Con sigilo, me asomé por una de las ventanas, que tenía medio corrido un visillo de encaje.

Primero hube de acostumbrar mis ojos a la oscuridad, y luego concretar lo que aparecía ante mi mirada.

Allí tenía que estar, junto a la llave un poco oxidada, tal y como lo había visto al llegar, tal y como estaba cuando el propio Seiji Khan me advirtió que no se me ocurriera tocarlo.

Una vela se había consumido, la otra todavía lucía en lo que quedaba de cera.

Pero a su lado una huella circular señalaba su ausencia: el reloj de arena había desaparecido.

5 *Seiji Khan y Java*

—BUENOS días.

Me incorporé del lecho que me habían ofrecido para que descansara, dentro de una *roulotte* vacía. El cuerpo me dolía, pues no estaba acostumbrado a dormir en una cama tan dura y estrecha.

—Buenos días, señor Tuamigo —insistió Bela con una sonrisa mientras pasaba juguetonamente bajo mis narices una bandeja con un apetitoso desayuno—. Espero que te guste el té.

Aquella mañana me habría tomado cualquier cosa caliente, una sopa, un caldo, lo que fuera. Además, aquel té tenía un olor muy agradable.

—¿Ha regresado Seiji Khan?

—Tardará, tardará en volver... —me respondió Bela con gesto distendido mientras contemplaba, sentado a los pies de mi cama, cómo desayunaba—. ¿Está bueno?

Unté una crema parecida a la mantequilla, pero más oscura, en una rebanada de pan tostado. Sabía mejor aún de lo que olía.

El vaso de zumo tenía un color rojizo, casi granate. Bebí encontrándome las pepitas de la fruta.

—Me dijiste que te gustaban las fresas, ¿no? Es zumo de fresa.

—Está buenísimo, todo. ¿Dónde está Azul?

—Ven a verla. Pero, por favor, no hagas ruido. A veces la observo sin que ella se dé cuenta. ¡Y me parece tan hermoso lo que hace!

Hice lo que me pedía Bela. Detrás de unos cajones, bultos y sacas de voluminoso tamaño, nos escondimos el chico y yo.

Desde allí estuvimos contemplando durante varios minutos a Azul.

Lo hicimos con el aliento contenido, viéndola ir y venir por los aires, haciendo piruetas sobre la jaula vacía, con el peligro que suponían sus afiladas puntas.

—Es bonita, ¿verdad? —me dijo Bela con la mirada soñadora, tal vez deseando estar él también en las alturas, junto a Azul.

—Muy bonita —repuse, poniéndome en el lugar del muchacho y sabiendo que si yo hubiera tenido su edad también me habría enamorado de Azul—. ¿Te gusta mucho Azul?

Bela no dijo nada, pero su rostro enrojeció.

No pudimos decir nada más porque otro personaje acababa de entrar en escena y nosotros, de forma pueril, nos acurrucamos para que no nos descubriera.

Se trataba de Zampiro que, una vez junto a los barrotes de la jaula, lanzó hacia los cielos un chorro de fuego.

No le hizo falta decir una sola palabra para que Azul comprendiera.

La muchacha, desde lo alto del trapecio, gritó:

—¡Cógeme!

Y se lanzó a los aires, dando una voltereta.

Bela se tapó los ojos con un cierto espanto.

Zampiro extendió sus brazos y Azul fue recogida como si aquellos brazos fueran una red protectora.

—No vuelvas a hacerlo —dijo Zampiro con gesto enfadado.

—¿El qué no debo hacer? ¿Mis ejercicios o lanzarme para que me recojas?

—Ninguna de las dos cosas. Tu padre lo tiene prohibido. ¿Quieres que se encuentre con una nueva tragedia cuando regrese?

Zampiro alejó a Azul de la jaula y la llevó, con cierta cariñosa brusquedad, hacia el otro lado del circo, allá donde nosotros no la podíamos ver.

Por nuestra parte, regresamos discretamente a la *roulotte*, a la vez que las preguntas volvían a cruzar por mi cabeza.

—Dime una cosa, Bela, ¿cómo se originó el incendio del circo?

—Eso nadie lo sabe. Dijeron que se trataba de un accidente.

—¿No de algo provocado?

—Quién sabe...

Bela se encogió de hombros y me miró a los ojos con gesto suplicante. Era como si me estuviera pidiendo que no siguiera por ese camino, que él ya no podía añadir nada más, que tal vez más de uno había tenido la misma idea que yo, pero que no se había podido probar nada.

En efecto, en el circo había alguien para quien el fuego era la cosa más natural del mundo. ¿Tenía, pues, algo que ver Zampiro con la muerte de la madre de Azul?

Aunque también el mismo Seiji Khan tenía relación con el fuego. No podía olvidar sus velas...

Fuera como fuera, por lo visto no había ninguna prueba.

—Sólo te puedo decir —añadió Bela con la mirada hundida en el suelo— que Zampiro fue el único que se opuso a que la pantera se quedara con nosotros.

—¿Me vas a decir cómo apareció la pantera en el circo?

—Fue una noche de lluvia. En realidad, hacía varios días que llovía. Cuando llueve, la gente no viene mucho al circo. Dicen que hace frío, que hay goteras, que se está incómodo... Y Seiji Khan estaba desesperado.

—Y volvió a beber.

—Lo hacía sólo cuando sus ojos se volvían tristes; entonces se encerraba en su *roulotte* con una botella y hablaba a solas.

—Aquel día llovía... —le insté a que continuara con la historia de la pantera.

—Hacía días que estaba enfadado con Azul. ¿O fue Azul la que estaba enfadada con él?

Bela contaba la historia a su manera, sin comprender mi impaciencia por llegar al momento de la aparición del animal.

—¿Por qué motivo? —le pregunté dejando que llevara el relato por los caminos que él quisiera.

—Por la seguridad del trapecio. Ella le dijo que así no podían seguir, que cualquier día iba a pasar una desgracia, que ya era bastante con el riesgo de su profesión para que, encima, un borracho...

—¿Le llamó borracho?

—Creo que no utilizó exactamente esa palabra, sino una parecida pero igual de dura.

—¿Y qué dijo Seiji Khan?

—Dijo: «No entiendes nada, maldita sea. Ni siquiera tú», y se fue a su *roulotte*. Entonces le pregunté a Azul: «¿Puedo hacer algo? ¿Puedo ayudaros?».

»—Estoy harta, Bela, ¡harta! —me contestó—. Se comporta como un niño. ¿Por qué me dice que no entiendo nada? Yo también quería a mi madre, la quería tanto como él. Y todas las noches, cuando cierro los ojos, sueño con ella. Pero luego, por la mañana, cuando me subo al trapecio, sólo puedo llevarla en mi corazón para que, desde donde esté, me enseñe a hacerlo cada día mejor. Sin embargo, él...

»—Sufre, está sufriendo.

»—Y yo —afirmó Azul apretando los puños—. Pero Seiji Khan es el director del Gran Circo de Manchuria. Y mientras sea así se debe a su gente, a su público y a mí.

»Los ojos de Azul estaban temblorosos. Su fortaleza parecía desvanecerse cuando hablaba de sus padres, pero sabía que de momento sólo ella era capaz de llevar la carga de su desgracia.

»Comprendí que era una carga muy pesada, por eso quise ayudarla.

»—Voy a hablar con él —le dije.

»Azul pegó una patada a una piedra que había en el suelo, y ya se iba a ir, furiosa, cuando su rostro cambió. Se volvió hacia mí y me besó en la mejilla.

»—Gracias, Bela. Gracias, te quiero tanto...

»Antes de que yo pudiera decir nada, desapareció tras unas lonas.

»Sentí que había recibido algo de su fortaleza, y con una seguridad que nunca tuve hasta ese instante, me dirigí a la *roulotte* de Seiji Khan.

»Tenía la puerta cerrada, pero no había echado el pestillo. Y como yo sabía que estaba dentro, aunque no respondía a mis llamadas, entré.

»La habitación se encontraba en la penumbra,

los visillos corridos. Sólo se veía la luz de una de las velas que rodeaban al reloj de arena.

El reloj de arena...

»Una vela estaba apagada y Seiji Khan contemplaba como hipnotizado el humo que salía del extremo de su cabo. La otra se apagó a causa de un golpe de aire que entró por la puerta todavía abierta. Cerré rápidamente.

»Seiji Khan ni siquiera se volvió. Se limitó a exclamar como si le hubiera pasado algo muy grave:

»—Oh, no, Señor, eso no...

»Me sentí culpable, busqué precipitadamente una caja de cerillas y encendí una. Y ya iba a volver a dar vida a las velas, cuando Seiji Khan reaccionó. Creo que hasta ese instante no se había dado cuenta de mi presencia a su lado.

»—¿Qué haces tú aquí?

»—He venido a... —balbuceé. Pensé en Azul y respiré hondamente—. Quiero que sepas que soy tu amigo y que te quiero.

»—¡Qué sabrás tú lo que es el amor!

»Me dolieron sus palabras, mucho más que la llama de la cerilla que estaba llegando a la punta de mis dedos. ¿Por qué alguien de catorce años no puede enamorarse? ¿Quién lo prohíbe?

»¡Maldita sea! ¿Es que los mayores nunca van

a entender nada de nosotros? Dejé caer la cerilla y la aplasté enfadado con el pie.

»El director del circo apuró el trago de un vaso medio vacío que tenía frente a sí.

»Encendí otra cerilla junto al reloj de arena mientras le decía:

»—Le has hecho daño, ¿sabes?

»—¿A quién, a Azul? ¿Y a ti qué te importa Azul? ¿Cuántas veces te he dicho que te apartes de ella? ¡Que la dejes en paz!

»Se me hizo un nudo en la garganta. No había ido allí a hablar de Azul, pero tenía que decirle algo.

»—No seas egoísta, ella te quiere, como quería a su madre. No la trates así.

»Temí haber llegado demasiado lejos y pensé que se iba a enfadar conmigo. Pero no me importaba. Sentía que estaba ayudando a Azul y eso me daba fuerzas.

»Pero Seiji Khan no pareció haberme escuchado; se acercó al reloj de arena y le habló como si fuera una persona:

»—No sirve de nada, es todo pura imaginación. Aunque te tenga a mi lado, no eres tú, únicamente es lo que queda de ti, mi amor.

»Seiji Khan hacía evidentes esfuerzos para contener la emoción. De repente me cogió de un brazo, tan fuerte que llegó a hacerme daño. Me señaló el reloj:

»—¡Dime lo que ves!

»Se lo dije: «Un reloj de arena», pero él ni siquiera prestó atención a mi respuesta. Siguió hablando como consigo mismo:

»—Mantengo encendido el fuego que se la llevó, pero ¿para qué? Se acaba de apagar, tú lo quieres encender, ¿y de qué sirve? ¿Acaso me la va a devolver viva? ¿Me va a devolver su sonrisa y sus besos?

»—Te queda Azul.

»Seiji Khan tragó saliva antes de volver a llenarse el vaso:

»—Un reloj, sí, un reloj que marca el paso del tiempo que me queda hasta reunirme con ella.

»Intenté evitar que lo bebiera.

»—Seiji, por favor. Azul te quiere y te necesita, como yo, como todos. Dime, ¿qué puedo hacer?

»—Alejarte de ella, alejarte de mí. ¡Trae!

»Arrebató de mis manos la caja de cerillas y, con gesto tembloroso, encendió las velas mientras exclamaba con una voz medio ahogada por la emoción:

»—¡Qué derecho tienes tú a encender estas velas!

»Luego, inclinó la cabeza, como si el peso de todo un circo se le hubiera venido encima.

»Me acerqué un poco más a él y le dije en voz muy baja:

»—Escucha, Seiji, si tú quieres, todo puede volver a empezar. Por favor, quiere...

»Seiji ahogó un suspiro antes de responderme:

»—Nada puede volver a empezar, nunca.

»Su voz parecía salir de la pena más profunda cuando añadió, siempre mirando al cristal transparente del reloj:

»—Eras tan hermosa, y ahora sólo polvo...

»En ese momento me fijé en la arena que contenía el reloj de cristal. Tenía un color más oscuro que la que yo había visto en otros relojes similares, y parecía mucho más fina.

»—Polvo, nada más que polvo...

»Yo sabía que todos somos polvo y que polvo volveremos a ser. Pero en aquel momento, al escuchar sus palabras, sentí un estremecimiento.

»Volví a mirar el contenido del reloj. De repente comprendí que allí dentro estaba *ella*, y que por eso Seiji Khan encendía las velas, y se encerraba a beber y parecía hablar a solas con un reloj, cuando en realidad estaba conversando con la mujer que más había querido.

»Ella estaba allí, sus cenizas estaban allí, marcando sus horas, recordándole que seguía a su lado; y que el amor, si es amor de verdad, puede ser eterno.

»No lo pude evitar, el nudo de mi garganta se convirtió en lágrimas, me eché a llorar y le abracé.

»—Déjame, ¿qué haces? —me rechazó Seiji

Khan con cierta brusquedad—. No me lo pongas más difícil.

»Pero yo no podía evitarlo. Supe que si algún día Azul me amaba tanto como él había amado a su mujer, tal vez me gustaría estar siempre a su lado, llevarla conmigo como Seiji Khan estaba haciendo.

»Y mis lágrimas, en lugar de contenerse, fueron más numerosas.

»Sentí tanto amor por él, por su circo, por Azul...

»—Te he dicho que dejes de llorar —exclamó Seiji Khan cada vez más inquieto, al ver cómo yo no podía contenerme.

»No, no podía dejar de llorar. Yo también había empezado a sentir el dolor de mi soledad, la tristeza de no saber quiénes eran mis padres. Me sentía muy mal por dentro, aunque en el fondo me apetecía estar allí, con él, comprendiéndole y compartiendo su pena.

»—¡Los hombres no lloran, deja de llorar! —me chilló.

»Me hubiera gustado decirle que lo que él tenía que hacer era llorar conmigo, que de nada le servía aguantar el llanto. ¿Por qué los hombres no deben llorar?

»—¡Vete! ¿Es que no tienes nada que hacer? ¡Déjame en paz!

»—No pue... puedo —respondí sin ser capaz de

moverme. El nudo de mi garganta ahora lo tenía en mi corazón y me pesaba mucho. Como si de repente mi corazón se hubiera vuelto de plomo.

»Y lloré, lloré más, volví a llorar, hasta que escuché el portazo que siguió a sus últimas palabras:

»—¡Maldita sea, los hombres no lloran! No lloran...

»¿Lo había dicho por mí o por él? Seiji Khan, desesperado, había abandonado la *roulotte*. Al ver que yo no me iba, se fue él. Miré el reloj de cristal, sentí de nuevo que la tristeza se echaba encima de mí, como una manta, y me di cuenta de que, una vez más, me había quedado solo. Tremendamente solo.

6 *La aparición*

ME fijé en Bela. Su mirada estaba enturbiada y sus manos temblaban ligeramente. De repente se echó a reír.

—Pero eso ya pasó, sucedió hace mucho tiempo. O a mí me parece que hace mucho tiempo, antes de que apareciera Java.

—¿Volvemos a la noche de lluvia?

Bela asintió, y yo me dije que, por fin, iba a conocer lo que había sucedido con la pantera.

—Azul y yo íbamos en la *roulotte*, jugando al *Kolko* [1]. Seiji Khan conducía la camioneta.

—La camioneta que conducía Seiji Khan, ¿era la que iba en cabeza de la caravana?

---

[1] El *Kolko* es un juego para dos, cuyos orígenes tienen que ver con los nómadas de la Europa Central. Se utilizan cristales de dos colores —generalmente blanco y rojo— y a través de una estrategia hay que ir atrapando las piezas del contrario, hasta conseguir meterlas en su propio terreno.

—El director del circo siempre abre camino, y tras él van todos los demás. Habíamos terminado nuestras funciones de Rabka e íbamos hacia Presova.

—¿Hablaste con Azul de la conversación que habías tenido con su padre?

—Le conté lo del reloj de arena.

—¿Y ella qué dijo?

—Que ya lo sabía. Y que no le gustaba.

—¿Por qué?

—Porque mientras el reloj estuviera allí, Seiji Khan sólo tendría pensamientos para su mujer. Y que así no se podía dirigir un circo, tener tantas personas al cuidado... Entonces yo le dije a Azul...

—¿Qué le dijiste?

—No... no sé si le llegué a decir nada... No, creo que simplemente acerqué mi mano a la suya y se la rocé.

—Y ella, ¿qué hizo?

—Se cogió de mí. La noté muy tensa, como preocupada. Y de forma instintiva la atraje hacia mí, dejando que su cabeza se apoyara en mi hombro. Muy suavemente, acaricié sus cabellos azules mientras decía con el pensamiento: «Yo te quiero, te quiero más que nada en el mundo, te quie...».

—¿Y?

—Escuché el sonido de los motores de la caravana de vehículos del circo, un sonido que parecía querer adormecerme, un sonido dentro del cual yo me decía: «Algún día tengo que estar a la altura de Azul, algún día tengo que subir con ella al trapecio y cambiar mi miedo por todo este sentimiento que ahora...». Pero entonces sucedió.

—¿El qué?

—No sé si primero fue el chirrido de los frenos, el bamboleo de la *roulotte* o el golpazo. Una especie de trueno. Y me dije que Seiji Khan, a pesar de que tenía que conducir, había bebido.

—¿Y entonces?

—La caravana se detuvo. Seiji Khan bajó tambaleante de su camioneta. Luego nos contó que en un principio no había visto nada, aunque temía haber atropellado a una persona. «Algo se ha cruzado en el camino, estoy seguro. ¿O tal vez sólo ha sido una sombra?», dijo con la mirada perdida.

Azul buscó a su alrededor. Hasta nosotros llegaron Zampiro, Igor y los demás. Incluso, podría decir que se escuchó la voz de Lorelei.

—¿Qué decía Lorelei?

—Cantaba, no sé qué de «la princesa pez», no sé qué de que «alguien le grita a las aguas». Pero yo sólo estaba pensando que llovía mucho, que nos estábamos empapando y que tal vez Seiji Khan sólo había sufrido una alucinación.

—¿Y era así? ¿Sólo una alucinación?

—Entonces vi sus ojos en la oscuridad y me acerqué hacia ella.

Bela se transfiguraba al contarme su historia;

como hacen los recitadores al declamar una poesía muy sentida.

Incluso creí ver yo también, en ese momento, los ojos de la pantera.

Me parecía percibir su jadeo, mezclado con el sonido de la lluvia que golpeaba los capós de los vehículos.

Llegué a identificarme con lo que Bela me contaba, hasta que la puerta de la *roulotte* se abrió de repente y el muchacho calló. Ambos nos giramos a ver quién había interrumpido nuestra conversación.

Allí estaba ella, por unos instantes inmóvil, con las pecas en sus mejillas, bajo sus pobladas cejas.

—Bela, el cocinero te espera, hay que servir los desayunos.

—Voy enseguida —dijo él incorporándose.

Iba yo a decir algo, cuando Bela se me adelantó:

—Le estaba contando cómo encontramos a la pantera. ¿Sigues tú?

—De acuerdo —respondió Azul.

Por un instante sentí que aquellas dos jóvenes personas eran en realidad una sola. Como las dos caras de una moneda, imposibles de existir la una sin la otra. O como la figura reflejada en el espejo, que sólo existe si alguien se coloca delante de él.

Eran muy diferentes, en sexo, en actitud, en carácter..., y sin embargo, tan semejantes.

Cuando nos quedamos a solas, me dispuse a escuchar atentamente lo que me dijera la muchacha.

—La noche de lluvia, mi padre conducía, estaba triste, seguramente un poco bebido. Con el agua que caía apenas se veía la carretera, y además uno de los faros de la camioneta estaba roto. Bela, a escondidas para que mi padre no le viera, porque no le gustaba que viniera conmigo, se coló en la *roulotte* y nos pusimos a jugar al Kolko.

—Sí, eso ya me lo ha dicho. Nos hemos quedado cuando tu padre acababa de atropellar a la pantera.

—Al principio pensábamos que se trataba de un tronco caído, de un saco, cualquier objeto. Nunca imaginamos que fuera un animal, aunque dicen que en esos bosques hay lobos y osos. Buscamos por todas partes, hasta que escuchamos la voz de Bela.

—¿Qué hacía?

—Estaba a pocos metros de nosotros, acariciándola, diciéndole palabras al oído, como si se tratase de un sencillo gato. Bela fue el primero en atenderla y en cuidarla. Yo miré los ojos del animal y me sentí bien. Aquella pantera era mi amiga, ya la había visto en mis sueños. Y me dije que su aparición iba a ser muy importante para todos nosotros. Sólo temía la reacción de mi padre...

—¿Qué dijo tu padre?

—Hasta entonces jamás había querido tener

animales en el circo, le parecía denigrante. Pero en cuanto vio la pantera, de forma sorprendente, accedió a que se quedara con nosotros.

—¿Tal vez se sentía responsable?

—Tal vez... El caso es que aceptó su compañía «de momento hasta que se cure del todo», nos explicó. Pero creo que tanto él como yo, como Bela y como todos, sabíamos que nadie iba a echar a Java de nuestro circo.

—Sólo se opuso Zampiro, ¿no es así?

—Sí, ¿cómo lo has adivinado? Zampiro dijo que las fieras y el fuego nunca se han llevado bien. ¿Y sabes lo que le contestó mi padre? Pues le dijo: «El fuego no se lleva bien con nadie... excepto contigo».

—¿Qué respondió Zampiro?

—Nada. Sencillamente bajó la cabeza, como avergonzado. Pero lo cierto es que nadie se fijaba en lo que hacía o dejaba de hacer Zampiro. Todos nos preocupábamos por la pantera.

—¿Estaba muy herida?

—Un corte en el costado izquierdo, una pata trasera rota y algunos rasguños muy aparatosos. Su piel negra brillaba aún más con la sangre. Pero en realidad no sufría ningún daño grave, sólo necesitaba recuperarse.

—Bela estuvo siempre a su lado, ¿no es cierto? —sugerí yo, porque esa imagen del muchacho y la pantera acababa de venir a mi cabeza como un fotograma de cine.

—Aparte de mi padre, nunca he visto a nadie que sepa querer tanto como Bela. Se hizo cargo de Java como si fuera lo más importante de su vida. La lavaba, limpiaba sus heridas, entablilló su pata rota. Y sobre todo le habló, como se hace con un niño, con un enfermo... Creo que fue a partir de entonces cuando me di cuenta de lo importante que era Bela, y comencé a mirarle con otros ojos, de forma muy especial.

No me costaba mucho trabajo imaginármelo junto a la jaula, susurrándole palabras, como se hace con un gato antes de que se ponga a ronronear. Incluso lo podía ver acariciándola, preparando su comida, ofreciéndosela con ternura. Y también podía ver a Azul contemplando la escena y sintiendo que su corazón comenzaba, lentamente, a enamorarse.

—Bela fue quien le puso nombre. Hasta entonces todos decíamos *la pantera*; pero recuerdo perfectamente que un día estaba cociendo unos puerros cuando levantó la vista y me miró con una sonrisa, ya sabes a qué sonrisa me refiero, y me dijo: «Se llama Java, ¿sabes?». Y con ese nombre se quedó.

—¿Por qué Java?

—Pregúntaselo a él.

Azul, que no había cerrado la puerta de la *rou-*

lotte mientras charlábamos, saludó con la mano a unos compañeros que iban vestidos de *clowns* y caminaban en fila india, unos detrás de otros. El primero tocaba el saxofón; el último, que era el enano que me había recibido cuando llegué al circo, seguía vestido de marinero y tocaba el acordeón.

Yo también los saludé.

—¿Me acompañas? —me preguntó Azul.

Tenía que entrenar.

Mientras la veía subir al trapecio y comenzar a poner sus músculos en forma, no pude evitar sentir la necesidad de organizar un poco el rompecabezas que tenía sobre aquel asunto.

Había ido en busca de información sobre la desaparición de una pantera negra en el Gran Circo de Manchuria. Y hasta ese momento, ¿qué me había encontrado?

Únicamente historias confusas, que se entremezclaban, pasaban del trapecio al bosque, de la pantera a los artistas de circo, de la *roulotte* a la jaula.

¡La jaula! Tenía que ver la jaula.

Se me acababa de ocurrir una idea.

Dejando a Azul en las alturas, me escurrí discretamente hasta el lugar donde se encontraba la jaula.

Estaba cerrada. Agité el candado. Cerrado. El cerrojo. Inamovible.

¿Entonces...? Eso quería decir que... ¿la pantera había salido volando?

Volví a mi investigación periodística. Tal vez siguiendo las huellas del misterio, descubriera su verdad.

«Lugares comunes de la historia», me dije:

A) EL AMOR:
  * El difícil y apasionado amor entre Seiji Khan y su esposa.
  * El amor complicado, ¿no manifestado?, entre Bela y Azul.
  * El amor doliente, ¿tal vez imposible?, entre Igor y Lorelei.

B) LAS APARICIONES:
  * Bela aparece de improviso; según sus palabras: «plaf, como por arte de magia».
  * La aparición de Lorelei: ¿extraída del fondo del mar, de un lago, de un río, del Danubio, del Rin?
  * La aparición, en una noche de lluvia, de la pantera negra.

C) LAS DESAPARICIONES:
  * Desaparece la madre de Azul en un incendio.
  * Desaparece la pantera negra, aparentemente por los aires.

* La ausencia de Seiji Khan, ¿acaso es una nueva desaparición?

Y cuando no sabía qué hacer, si volver junto a Azul, buscar a Bela o investigar por mi cuenta, hasta mí llegó el canto quejumbroso de la sirena:

... en más de una ocasión deja entreabierta
la puerta de la jaula
y con burlones ojos decir parece
«¿No te largas?».

De forma mecánica, como un autómata, me dirigí hacia la morada de Lorelei, cuya voz me obligaba a hacerme mil preguntas. ¿Cómo era posible que unos poemas de Goethe tuvieran que ver con lo que yo había ido allí a buscar?

Avancé con sigilo, para no molestar a Igor, si es que estaba con ella.

Abrí la lona que mantenía la oscuridad en el recinto.

Ella se volvió al escuchar mis pasos, y cantó, ¿o tal vez me dijo, o acaso me suplicó?:

Y yo ¡de qué he de escapar!...
¡Oh dioses santos,
sólo vosotros, que lo ordenáis todo,
podríais romper este fatal encanto!

7 *Canciones, sólo canciones*

EL cuerpo de Lorelei era muy blanco; sobre su piel destacaba su cabello rojo, rizado, que caía en remolinos sobre su pecho desnudo.

Flotando sobre el agua, a veces prendidas de algunos rizos, había plantas acuáticas, algas tal vez, o tal vez nenúfares o lotos.

Estaba sola.

Allá dentro no se escuchaba otro sonido que el del agua cuando ella se movía.

Durante unos instantes miré fijamente a Lorelei a los ojos. Ella, por su parte, a pesar de lo recatada que parecía, me devolvió la mirada sin la menor turbación.

Esto me animó a intentar hacerle alguna pregunta:

—Seguramente sabe que estoy haciendo un reportaje sobre la desaparición de la pantera. ¿Me podría usted decir algo de este asunto? Cuando llegó Java al circo, ¿usted ya estaba en él? ¿Cómo fue eso?

Lorelei abrió la boca, pero no dijo nada. Más bien parecía un pez cuando da las últimas boqueadas antes de morir; daba la impresión de que se ahogaba.

No supe qué hacer.

—¿Puedo ayudarla en algo?

Avancé un par de pasos, lo suficiente para ver que los dientes de la sirena eran tan perfectos como las perlas. ¿O acaso es que estaban hechos de perlas?

—Yo..., el caso es que...

Lorelei seguía mostrando al respirar su angustia, a pesar de que su cara permanecía inexpresiva.

Extendí mi mano hacia ella, quizá con el afán de acariciar su piel.

A mis espaldas sonó la música de una pequeña armónica. No me hizo falta volverme para saber que acababa de aparecer Igor.

—Por favor, déjela en paz —me dijo amable, pero rotundamente.

—Yo..., la verdad..., sólo quería saber...

—Ella no puede responderle nada. No habla —afirmó con absoluta seguridad.

Igor me empujó con suavidad hacia la salida. Una vez allí, sabiendo que había dejado atrás la posibilidad de descubrir cualquier cosa sobre Lorelei, me quejé:

—¿Por qué dice que no habla? Yo la he oído...

—Cantar. Usted la ha oído cantar. Lorelei no habla, sólo canta.

—¿Y eso por qué?

—Usted sabrá —me replicó un poco displicente—, usted sabrá, que es periodista. ¿Por qué yo soy ruso, por qué Seiji es mongol y Bela húngaro? ¿Por qué Azul tiene el cabello de ese color? ¿Por qué aquellas montañas son los Cárpatos? Dígame por qué.

—No creo que sea lo mismo —era mi última defensa, aunque no estaba muy convencido.

—Mire usted. Sólo le pido que no vuelva a molestar a Lorelei. Yo estoy aquí para cuidarla y protegerla. Algún día dejaré de una vez el trapecio y me dedicaré exclusivamente a ella.

—¿Por qué quiere dejar su trabajo?

—Estoy cansado; si me he quedado es sólo por Seiji Khan, porque necesita tres personas para el número de Los Águilas. Pero Lorelei también me necesita. ¿Comprende? Ella es feliz entre nosotros..., dentro de lo que cabe. ¿Se imagina lo duro que debe ser no pertenecer a ningún mundo y que te lo echen constantemente en cara?

—¿Se refiere a su condición de... sirena?

—Allí, en su río, la acusaban de ser medio mujer. Aquí, fuera del río, de que es medio pez. Sólo el Gran Circo de Manchuria no hace preguntas. Usted puede comer vidrio, hacer payasadas tocando el saxofón, volar por los aires como si fuera un proyectil, arrojar cuchillos contra quien quiera, o hacer números de trapecio con la boca. Nadie se burla de uno, todos nos respetamos, y así somos más o menos felices...

—... dentro de lo que cabe —añadí, recordando sus propias palabras.

Sin embargo, al mismo tiempo me dije que, en efecto, todo el mundo era admitido en el circo de Seiji Khan sin preguntas; pero además de ser admitidos, ¿eran realmente aceptados? Entonces, ¿qué pasaba con Bela? ¿Por qué todos le daban órdenes, por qué todos le dejaban un poco de lado, cuando era un chico encantador, dispuesto a cualquier cosa con una sonrisa?

—Dígame, Igor, ¿por qué los demás sí y Bela no?

—Estaba hablando de mis compañeros.

—¿Y el chico no lo es?

—Por su culpa sigo allá arriba, mordiendo el trapecio. Es un chico demasiado débil, casi es una chica.

—¿Una chica? —pregunté alarmado—. ¿Acaso Azul no es una chica? ¿Y es ella débil? Que yo sepa, no.

—Azul es una artista del Gran Circo de Manchuria. Bela, no.

Y antes de que pudiera seguir hablando con él, Igor sacó la armónica de su mono de trabajo y se marchó mientras tocaba una música muy triste, que yo creía haber escuchado anteriormente.

Me quedé como si me hubiera quitado algo de encima: más ligero, pero a la vez con cierta pena.

Recordé las palabras cantadas de la sirena:

Y yo ¡de qué he de escapar!
¡Oh dioses santos,
sólo vosotros, que lo ordenáis todo,
podríais romper este fatal encanto!

Hasta ese momento no me había dado cuenta de que una fina niebla había comenzado a descender sobre el circo.

Parecía deslizarse por la ladera de la cordillera, envolvía la ciudad, y se desplazaba lentamente hacia donde estábamos nosotros.

La niebla se iba espesando conforme avanzaba la tarde. Y cuando las bombillas se encendieron, apenas se veía otra cosa que unos amarillentos halos de luz.

¿Qué hacer? ¿Hacia dónde ir? ¿Cómo continuar mi investigación?

¿Tal vez los payasos supieran algo?

¿Y las cantantes calvas?

¿O acaso el enano hombre-bala?

¿Y qué decir del malabarista?

¿O de la mujer que se contorsionaba como si fuera de plastilina?

Avanzando un poco a tientas, ya que la niebla cada vez era más densa e impedía ver con claridad más allá de cinco o seis metros, de improviso tropecé con algo que estaba atravesado en medio del camino.

Se trataba de un sable de hoja fina y brillante.

Al inclinarme a recogerlo, sentí una fija mirada en mi nuca.

—Lo siento, es mío.

Zampiro me miraba entre la bruma y su aspecto era aún más imponente de lo que me había parecido hasta entonces.

Así enmarcado no cabía duda de que, desde su delgadez, con las huellas de viruela en su rostro, resultaba un poco inquietante.

Además, para subrayar sus palabras, echó un chorro de fuego por la boca.

A pesar de que lo había visto hacer varias veces, me impresionó.

—Estupendo —dije para tranquilizarme—, esta vez le ha salido bien.

Zampiro, sin decir palabra, recogió el sable de mis manos y, tras mirarme con un gesto incalificable, me dijo:

—¿Por qué no se va? Esto se está acabando.

—¿El qué se está acabando?

—Todo. El Gran Circo de Manchuria. No creo que duremos mucho.

—¿Y eso por qué?

—Todos se largan. Primero fue la mujer de Seiji

Khan, ahora el mismo Seiji Khan. Y, desde luego, la pantera. Hágame caso, y váyase también usted.

—¿Es una amenaza?

Zampiro no respondió con palabras. Se limitó a blandir el sable, y cuando temí —aún no sé muy bien por qué— que iba a utilizarlo contra mí, sencillamente se lo tragó.

Inclinando la cabeza hacia atrás, lo fue introduciendo lentamente por su garganta, hasta que quedó atascado por culpa de la empuñadura.

Luego, más rápidamente de lo que había tardado en meterlo, lo sacó, casi de un golpe.

Al ver mi cara de desconcierto, se echó a reír.

Me sentía inquieto, pero había algo que necesitaba saber en aquel mismo momento:

—Dígame una cosa, Zampiro, ¿fue usted el causante del incendio del circo?

Zampiro me miró con extrañeza, como si le hubiera formulado la pregunta más absurda del mundo.

—El fuego es mi amigo, el circo mi casa. ¿Está usted loco? Además, si por mí fuera, ya habría suprimido mi número hace mucho.

—Pero Seiji Khan pide que continúe con él.

—Creo que hay demasiados locos por aquí, y tal vez yo sea uno de ellos. Además, ¿cómo iba a dejar a Azul a solas con él en el trapecio?

Se dio la vuelta y desapareció entre la niebla, mientras le oía murmurar en tono firme:

—Váyase de aquí, es lo mejor que puede hacer, créame. Aquí nada es lo que parece. Váyase, amigo...

¿Cuántas cosas de las que había ido a buscar al Gran Circo de Manchuria había descubierto? Muy pocas, casi ninguna.

Pero en ese momento tuve algo muy claro. Si las palabras de Zampiro eran una advertencia, una seria advertencia, a mí sólo me habían de servir de estímulo para hacer exactamente lo contrario.

Es decir, quedarme y descubrir la verdad.

Y, además, estaba convencido de que ese inquietante momento estaba cada vez más cerca.

8 *En la niebla*

Lo mejor de la niebla es que si uno quiere utilizarla como manto, puede esconderse en ella.

Pero también los demás desaparecían ante mis ojos, como en una especie de juego de manipulación.

Veía una sombra, la seguía, y momentos después esa sombra se difuminaba entre la máscara blanca que la naturaleza había hecho bajar de los Cárpatos.

Los Cárpatos. ¿Por qué se había empeñado Seiji Khan en cruzarlos de repente? En realidad, ¿adónde había ido? ¿A Brasov? ¿Por qué a la ciudad de la Iglesia Negra, la iglesia que ardió en un incendio? ¿Qué misterio encerraba su marcha?

Y lo que era peor, ¿por dónde continuaba yo la búsqueda de la resolución de mi misterio?

Escuché una especie de estampido y a pocos metros de distancia noté como una presencia que caía de arriba.

El enano rodó por el suelo, casi hasta mis mismos pies, antes de incorporarse mientras se quitaba el casco protector.

—Perdóneme, estaba probando el nuevo cañón. Si hubiera caído encima de usted, podría haberle hecho daño. Lo siento.

—Y usted, ¿se encuentra bien? Por cierto, ¿cómo se llama?

—Gulli, para servirle. Por favor, ¿podría ayudarme?

Se le había torcido el cinturón y llevaba la hebilla a la espalda. Se lo solté tal como me pedía.

—Muchas gracias.

—Pero ¿de veras que no se ha hecho daño?

—Los que somos pequeñitos, como los gatos, tenemos siete vidas, ¿no lo había oído nunca?

—La verdad es que no. ¿Y qué me dice de la pantera?

—Puf, ésa tiene por lo menos setenta vidas —respondió echándose a reír.

—¿Por qué cree que se marchó?

—Por lo mismo que usted ha venido: para descubrir cosas del mundo..., imagino.

—¿Quién la ayudó a escapar?

—¿Tuvo que ayudarla alguien? —preguntó Gulli mostrando sorpresa.

—¿Y las plumas de ave? ¿Qué hay de eso?

—Se comería un pollo antes de marcharse —bromeó el diminuto hombre-bala haciendo ver que se tragaba algo imaginario—, así iría con el estómago lleno.

—No he visto ningún tipo de ave por aquí.

—Las aves más próximas están en los bosques

—replicó Gulli repentinamente serio al escuchar unos pasos que se aproximaban entre la niebla—. Y ahora, adiós.

—¿Volveremos a vernos?

El enano salió corriendo, hasta que le vi desaparecer, como si fuera el número de magia de un prestidigitador.

Los pasos que se acercaban, de repente, se detuvieron. Durante unos segundos no se escuchó nada, absolutamente nada, aparte de los latidos de mi corazón.

Luego, los pasos se alejaron por donde habían llegado.

Y entonces, antes de que pudiera volverme, alguien saltó a mi espalda, cubriéndome los ojos.

Sus manos eran finas, y a pesar de que no decía nada pude notar la sonrisa de su respiración.

—¡Bela!

El muchacho me pareció más guapo que nunca, envuelto en aquella bruma, como recién salido de un cuento de hadas.

—Señor Tuamigo, tenemos que hablar —me dijo mientras me arrastraba hacia una zona alejada de la de las viviendas ambulantes.

—Yo también necesito hablar contigo.

—¿Recuerdas lo que te dije? Pues ahora necesito que me ayudes.

—¿A qué?

Bela, como parecía ser una costumbre en aquel circo, no me respondió directamente. Primero bajó los ojos hacia el suelo, para seguidamente mirarme con un gesto de súplica, o tal vez de desamparo.

—Tú eres el único. Los demás no podrían ayudarme porque no me entenderían.

—¿Tampoco Azul?

—Sí, claro, ella sí, sólo ella. Pero los demás piensan que no soy de los suyos.

—Pues súbete a un trapecio y demuéstrales que no eres quien creen que eres —le respondí muy convencido.

—Lo estoy intentando. Por eso te pido ayuda, necesito que alguien me empuje al vacío.

La frase sonaba a algo desesperado e incluso me asustó. Pero Bela me tranquilizó con una de sus características sonrisas.

—No es que quiera que me tires desde lo alto del palo mayor de la carpa. No es eso. Verás, te explicaré. Desde hace mucho tiempo estoy intentando hacerme amigo del trapecio.

—¿Entrenas?

—A solas, cuando nadie me ve, intento vencer mi vértigo, mi miedo, lo que sea. Después de lo que hizo Azul por mí la noche de la desaparición de Java, yo quiero corresponderle.

Me imaginé que, finalmente, Bela iba a referirse al momento culminante de la desaparición de la pantera. No me atrevía a interrumpirle. Pero él estaba esperando una pregunta mía.

—¿Qué hizo Azul por ti?

—Verás, te lo voy a contar todo, pero me tienes que prometer que no se lo vas a repetir a nadie.

—Será un secreto entre tú y yo.

—Bueno, entre Azul, tú y yo —me matizó sin que entendiera muy bien por qué. Ya que si ella estaba en el ajo, ¿para qué me necesitaba?

La respuesta me llegó como si Bela hubiera leído mi pensamiento:

—Ella sabe lo que pasó aquella noche, pero no quiero que sepa lo que va a pasar esta noche..., si aún quieres ayudarme.

—¡Claro que quiero!

—¿Sea lo que sea?

Me preocupó un tanto esa puntualización que dejaba todas las puertas abiertas. ¿Y si, imaginando alguna barbaridad, Bela me pedía que le ayudase a incendiar de nuevo el circo?

—Ven, por favor...

Bela me cogió de la mano. Su mano era suave, como la de una mujer, pero su forma de llevarme era decidida, como si fuera un hombre y no un muchacho joven.

Ni siquiera se veía la luna. La niebla envolvía el Gran Circo de Manchuria como si fuera un objeto delicado entre algodones.

Tardé en darme cuenta de que nos encontrábamos en la pista de los trapecios, donde en otro momento estuviera la jaula de la pantera, ahora apartada.

Las gradas se encontraban vacías, los focos apagados. En el palco de la banda de música descansaban los instrumentos de viento junto al tambor, ahora incapaz de emitir el menor redoble.

Arriba, en el techo, se encontraban inmóviles los trapecios.

Era una imagen casi mágica. Por unos momentos imaginé a Los Águilas Humanas balanceándose, lanzándose al vacío, recibiendo los aplausos del público. Igor, Seiji y su esposa.

Luego, Igor, Seiji y Azul.

—Para un número de trapecio se necesitan por lo menos dos —me dijo Bela mientras manipulaba unas cuerdas que liberaban los trapecios.

Con gesto decidido los soltó y, en pocos instantes, los pude ver flotando en el aire.

—¿Y qué quieres que haga? —le pregunté extrañado y, sin querer, subiendo el tono de voz.

Bela me hizo callar con un gesto, mostrándome su preocupación por ser descubiertos.

—Chist, más bajo, por favor. Lo único que quiero es que cuando yo esté arriba, tú sueltes el trapecio hacia mí.

—¿Vas a subirte y quieres que yo...?

Comprendí que Bela quería que, por unos momentos, yo hiciera de compañero. No tendría que lanzarme por los aires, ni hacer cabriolas, ni saltar de un trapecio a otro.

Porque eso, precisamente eso, era lo que él estaba dispuesto a hacer.

—¿Y si me equivoco, si cometo algún fallo? —pregunté con el temor de no hacer bien mi labor, provocando con eso la desgracia de Bela.

—No te preocupes, señor Tuamigo, que yo no me moveré hasta que esté completamente seguro de que me mandas bien el trapecio.

—Pero ¿cómo es que ahora puedes...?

—La verdad —replicó Bela con gesto preocupado— es que no sé si puedo. Por eso te necesito, ahora.

—Y luego, ¿me contarás todo lo que me falta por saber?

Bela se llevó la mano derecha al corazón y me aseguró, cerrando los ojos, como si estuviera mirando a su interior:

—Todo.

Y *todo* fue una historia en la cual no existían las leyes de la gravedad, en la que los cielos y la tierra se confundían, en la que desaparecían las distancias entre las mujeres y los hombres, entre los seres humanos y los animales; una historia llena de recuerdos y de promesas.

En realidad, aquel *todo* era mucho más de lo que hubiera podido imaginar cuando pisé por vez primera el Gran Circo de Manchuria.

—Adelante.

9 *La desaparición*

SEIJI Khan había prohibido expresamente que se entrara en la jaula de la pantera. Incluso tenía prohibido que mientras el animal descansara, alguien se acercase por los alrededores. Sólo el cocinero podía darle de comer. Y la llave de la jaula la tenía el propio Seiji Khan en su *roulotte*.

—Pero aquella noche alguien cogió la llave, ¿verdad? —me aventuré a decir.

Bela contemplaba la escala de cuerda mientras me hablaba:

—Aquel día era el cumpleaños de Azul. Y yo quería hacerle un hermoso regalo. Estuve pensando mucho tiempo cuál sería ese regalo. Por fin me decidí. Me llevó muchas noches en vela, horas de sueño, para que nadie viera lo que estaba haciendo a escondidas. Y cuando lo terminé, yo mismo me dije que aquél era el más hermoso vestido que un Águila Humana hubiera llevado nunca.

—¿Cómo era aquel vestido?

—De plata y oro, de seda y raso, con lentejuelas

y plumas. Imaginé que Azul con él parecería un pájaro. Aunque en realidad...

—En realidad, ¿qué?

—Era un vestido muy parecido al que llevaba su madre cuando trabajaba. Lo malo es que como no había ninguna foto, tuve que recordar las cosas que Azul me había contado de él. Pero no me fue demasiado difícil reconstruirlo de forma más o menos aproximada.

Bela me hizo un gesto con la mano. Me invitaba a subir hasta una de las plataformas de las alturas.

Hasta entonces no comprendí lo difícil que era ser trapecista. A mí no me pasaba como a Bela, yo no tenía vértigo, y aun así... La distancia parecía mucho mayor que desde abajo.

—¿Y la red? —pregunté alarmado, comprobando que la protección no estaba tensada.

Lo que veía desde arriba era una pista de circo diminuta, como diminuta me resultaba la figura de Bela que ahora se despojaba de su camisa y sus pantalones.

Me pareció que se quedaba completamente desnudo, aunque lo cierto es que debajo llevaba una ajustada malla color carne.

—Lo haré como lo hizo ella aquella noche, sin red. Porque tuve que esperar a la noche para poder entregarle su regalo.

—¿Lo hiciste aquí?

—No, aquí no, porque entonces aquí estaba la

jaula de la pantera. Y yo no quería que ni siquiera Java viera aquel vestido antes que Azul. Se lo di en la explanada trasera, junto al cañón de Gulli.

Bela parecía dudar, como si todavía no estuviera dispuesto a subirse al trapecio.

Pero, además, ¿por qué yo? ¿Por qué conmigo?

Hice un gesto como de comenzar a descender, pero afortunadamente él me detuvo:

—No, por favor, no bajes, espera un momento. Es que tengo que prepararme. Comprende que esto es muy difícil para mí. Además, no sé si lo conseguiré.

Digo que afortunadamente él me detuvo, porque de repente había comprobado que resultaba mucho más fácil subir que bajar. Tal vez porque al subir sólo iba mirando hacia arriba, y en cambio para bajar había de medir la distancia hasta el suelo que, en aquel momento, me pareció infinita.

Me agarré con fuerza a la cuerda de protección, pasando mi mano por su muñequera de seguridad. Y hasta mí llegaron las palabras de Bela, como en una nube, como entre jirones de niebla, en medio del vahído que repentinamente se había apoderado de mí.

Aun así pude imaginarme la escena que Bela estaba contándome, en la que le entregaba su regalo a Azul.

—«Toma, Azul», le dije, «es para ti».

»Azul no podía creer lo que estaba viendo. Le

parecía imposible que hubiera sido capaz de hacer todo ese trabajo en secreto.

»Acarició las plumas con deleite, y yo me sentí feliz al ver sus ojos felices.

»Luego, Azul acarició mi mejilla y llevó la punta de sus dedos a mis labios. Los perfiló muy lentamente, a la vez que yo abría despacio la boca.

»Me sentía como mareado y me pareció que acababa de despertar cuando escuché su risa y, acto seguido, salió corriendo.

»—¿Adónde vas? —le pregunté un poco asustado.

—¿Asustado por qué? —quise saber volviendo al presente.

—Temía volver a quedarme solo.

—Y ella, ¿qué te respondió?

—Que quería probárselo enseguida, en aquel momento, ¡ya! Tuve que buscarla, porque de repente había desaparecido. No sabía dónde ir. E instintivamente me fui donde se encontraba la pantera. En la oscuridad estaba hermosa, muy hermosa, con sus ojos azules, como los de ella.

—Pero Java tenía los ojos de color amarillo, tú mismo me lo dijiste...

—Aquella noche no, aquella noche los tenía azules, como ella. Y allí apareció Azul, con su vestido de plata y oro, de raso y seda, de lentejuelas y plumas.

»—Bela —me dijo—, esta representación es para ti, sólo para ti.

»Y antes de que me diera cuenta, había subido por la cuerda hasta la plataforma, situándose justo encima de la jaula.

»Java miró hacia arriba y emitió un rugido contenido.

»Yo sentí miedo, mucho miedo.

»—Por favor, Azul, baja, no hagas locuras.

»—Lo hago por ti —me repitió desde lo alto—, para darte las gracias. Como un regalo por tu regalo.

»—Pero si tú no tienes que hacerme ningún regalo; es tu cumpleaños, no el mío.

»—También puede ser el tuyo, ¿no? ¿Acaso sabes cúando has nacido? Pues yo te lo voy a decir: hoy. He decidido que sea también hoy. Y desde aquí arriba te voy a demostrar todo lo que te quiero.

»Me sentía muy feliz y muy asustado. Seguramente por eso mi corazón latía tan deprisa. Y tal vez porque sintió mi miedo, la pantera volvió a rugir.

»—Es igual —protesté—, no quiero ningún regalo, baja, por favor.

»—Voy a actuar para ti, sólo para ti.

»Azul, en las alturas, estaba muy hermosa. La luz de la luna hacía que su vestido brillara de vez en cuando.

»—No puedes hacerlo encima de Java.

»—Claro que sí, ¿por qué no? Como todos los días.

»—Pero ahora es de noche.

»—De día actúo para todo el mundo. Ahora sólo para ti, ¿comprendes, Bela, comprendes?

»Tenía miedo de que sucediera algo, pero tampoco deseaba ir a contárselo a Seiji Khan. Debía encontrar una solución.

»—Pues entonces iré, cogeré la llave y sacaré a Java de aquí. Porque si te caes...

»—No me caeré. Además, no puedes coger la llave a no ser que subas conmigo.

»Azul me mostró algo que tenía en la mano. Era la llave, que inmediatamente depositó con cuidado a sus pies, en la plataforma, a la vez que me decía como en un susurro:

»—Ven por ella.

»Y nada más decirlo, comenzó a balancearse, siempre boca abajo, en el trapecio.

»Los ojos de la pantera seguían sus movimientos con curiosidad, tal vez con inquietud. La misma inquietud que sentía yo.

»¿Por qué lo había hecho? ¿Por qué había cogido a escondidas la llave? Yo creo que era porque deseaba que estuviera a su lado. Pero yo no podía. Sólo de pensar en la altura, me daba vueltas la cabeza.

»Y sin embargo, si quería evitar aquello, tendría

que subir, coger la llave, sacar a la pantera de la jaula, y luego... Luego ¿qué?

»¡No podía pensar! Estaba hecho un verdadero lío, angustiado, deseando subir a su lado y no pudiendo.

»—Por favor, Azul, baja.

»—Ven tú si quieres, si me quieres.

»Sentía una especie de mareo de verla balancearse, y los ojos se me estaban nublando.

»La pantera gruñó antes de ponerse a dar vueltas, muy nerviosa, dentro de la jaula.

»Rozaba los barrotes con brusquedad, inquieta, llegando incluso a golpearlos con la cabeza o las patas.

»De improviso lanzó una zarpa hacia arriba, en la que vi unas uñas afiladas como cuchillos. Después, repitió el zarpazo contra las barras de metal, haciendo saltar algunas chispas.

»Yo quería calmarla, hablarle como lo había hecho otras veces, pero la verdad es que no sabía cómo hacerlo.

»—Java, bonita...

»De repente, una exclamación de Azul nos sobresaltó a los dos.

»—¡Bela, mira!

»Al levantar la cabeza, me quedé helado.

»Azul se había colocado boca abajo, apoyando su cabeza en la barra del trapecio. Y de esa forma, haciendo equilibrios, comenzó a balancearse manteniendo los brazos en cruz.

—Es muy difícil conservar el equilibrio de esa forma... —observé.

—Muy difícil. La pantera volvió a gruñir, pero esta vez con los músculos tensos, como disponiéndose a saltar hacia arriba.

»Instintivamente introduje mi mano derecha a través de los barrotes y la sujeté por la cola. Java se revolvió furiosa, con los ojos cargados de sangre, esta vez de color rojo, rugiendo como si estuviera herida.

»El rugido de la pantera resonó entre las paredes de lona del circo.

»Azul, sobresaltada, perdió el equilibrio.

»—¡Cuidado! —exclamé temiendo lo peor.

»Pero Azul se precipitó al vacío, entre las plumas desprendidas de su vestido.

»A mitad del camino, pudo agarrarse a la cuerda de seguridad, evitando así estrellarse contra el suelo. Descendió resbalando por la cuerda, quemándose las manos.

»Recuerdo perfectamente que lo primero que hizo, una vez en el suelo, fue mirarse las palmas de las manos, que le ardían en carne viva.

»Ni siquiera se dio cuenta de dónde estaba.

»Y estaba allí, dentro de la jaula, con la pantera.

»Java abrió la boca como si se dispusiera a rugir de nuevo, pero no emitió el menor sonido. Eso me estremeció. Tal vez era más amenazador el gesto mudo que el sonido en sí.

»Azul, al ver la pantera a pocos metros, retrocedió como pudo hasta que los barrotes le impidieron huir.

»Entonces me miró.

»Tampoco ella dijo nada. Sus ojos rasgados se clavaban en los míos; a pesar de la oscuridad pude verlos.

»Estoy seguro de que fue aquella mirada la que me dio la fuerza necesaria.

»Trepé por la escala sin mirar abajo. Llegué a la plataforma, cogí la llave y utilicé la cuerda de seguridad para descender hasta el centro de la jaula.

»—Java, bonita, tranquila, soy tu amigo, tranquila...

»Le hablé como cuando le hacía mis confidencias. No quería alzar la voz por no excitarla más. Me moví con lentitud, primero hacia Azul, protegiéndola con mi cuerpo; luego hacia la puerta, el cerrojo, el candado...

»La pantera volvió a rugir.

10 *El vuelo del ángel*

—¿Y entonces?

—Azul, siempre con las manos en carne viva, sin siquiera poder cerrarlas, se puso en pie.

—¿Y tú?

—Me costó trabajo abrir la puerta, los nervios seguramente, tal vez la oscuridad. Pero al final lo conseguí. Primero salió Azul, luego yo. Antes de volver a cerrar, lo último que vi fue a Java olfateando algunas de las plumas que se habían desprendido del traje de Azul.

—¿Y luego?

—Después de curar a Azul, me acosté. Pero no podía apartar de mi cabeza las imágenes que acababa de ver. Incluso me vi a mí mismo subiendo hacia el trapecio, colgándome de la cuerda. Y pensé que ya no tenía vértigo, que el miedo había desaparecido; que ya me quedaba muy poco para poder estar definitivamente al lado de Azul.

—¿Y la llave? ¿Qué hiciste con la llave?

—Azul me dijo que la había devuelto a su sitio, sin que su padre se enterara.

Bela se balanceó colgado de las piernas.

Yo estaba allí, a su altura en las alturas, sujetando el otro trapecio con la mano. Sólo tenía que soltarlo cuando él me lo pidiera. Lanzarlo en su busca, para que Bela se agarrara a él. ¿Y luego, qué...?

—¿Preparado? —me preguntó sin dejar de balancearse.

—Preparado —respondí sin saber muy bien lo que decía, ni a qué me comprometía.

—¿Listo?

¡No, no estaba listo! ¿Por qué iba a estarlo si aún no sabía cómo había sucedido lo de la pantera?

—¿Estás seguro de que, una vez que Azul y tú abandonasteis la jaula, volviste a cerrar con llave?

—Seguro.

—Entonces... ¿Cómo salió la pantera?

—No te puedo decir lo que no sé —afirmó Bela, que no parecía querer hablar más del asunto, y que ahora se encontraba completamente centrado en su equilibrio en el trapecio—: ¿Listo?

Por unas décimas de segundo pensé que me encontraba en el mismo punto de partida, o casi. Casi como cuando pisé por primera vez el Gran Circo de Manchuria, al que había llegado con el propósito de escribir un reportaje sobre la desaparición de una pantera negra.

Una pantera negra que había desaparecido del interior de una jaula cerrada con llave.

Me dije que más que un periodista en realidad tenía que haber sido un detective. ¿Cómo lo haría un detective?, me pregunté.

Imaginé que estaba escribiendo un libro de misterio y que yo era el protagonista, el investigador, el Sherlock Holmes, el Hércules Poirot, el Philip Marlowe de turno.

¿Cómo actuarían ellos? En el punto en que me encontraba, ¿habrían descubierto alguna pista válida?

—¿Listo? —volvió a preguntarme Bela con cierta impaciencia.

—Listo.

—¡Ahora!

Lo que entonces vi fue algo mágico. No era un ser humano el que surcaba el vacío, era un ángel.

Sus movimientos parecían como detenidos, como ralentizados. Exactamente lo que vemos en el cine cuando el director quiere señalar especialmente el detalle de una secuencia y frena la acción, fotograma a fotograma, a cámara lenta.

Bela había abandonado su trapecio e iba en busca del que yo acababa de lanzarle.

Me lo imaginé con alas, como si llevara puesto el vestido que utilizara Azul; me pareció que iba volando, pero como lo hacen los planeadores, sin prisas por llegar, dulce, suavemente.

Y me dije que sólo Bela podía hacer las cosas así, con delicadeza, sin brusquedades.

Incluso cuando se sujetó a mi trapecio, sus manos parecieron acariciarlo, en lugar de aferrarse con instinto de conservación.

Era sin duda el vuelo de un ángel.

Me emocionó contemplarlo, y debo confesar que a partir de ese momento no pude imaginar a Bela sin flotar por los aires.

Cuando la magia estaba en su momento más maravilloso, cuando Bela se giró para volver a sujetarse a su trapecio, que le llevaría hasta la plataforma de seguridad, entonces escuché, o creí escuchar, un ruido lejano.

Muy parecido al rugido de una pantera.

—Es ella —me dijo Bela sonriendo desde la plataforma a la que había llegado.

—¿Crees que es ella de verdad? ¿Dónde estará?

—En cualquier lugar de los Cárpatos, posiblemente en lo alto del Tatra.

—¿Por qué crees eso?

Estaba seguro de que me estaba dando una pista útil para mi investigación.

—Porque pienso que habrá regresado al lugar de donde vino.

—¿Java?

—Al bosque, a la noche, a la leyenda que te conté sobre el cazador gigante de los Cárpatos. Tal vez incluso haya encontrado la flecha perdida.

Imaginé la escena. La pantera que, sea por motivo de quien sea, abandona el circo, huye hacia su guarida y sigue el rastro que la conduce hasta el bosque. Un bosque muchas veces abandonado y otras muchas veces recuperado.

Hacía tiempo que el Gran Circo de Manchuria no venía por aquella parte del mundo, y tal vez Java se dijo que aquélla era la última oportunidad de volver a su rincón, a su refugio.

—¿Volvemos a hacerlo?

Me parecía una imprudencia repetir lo del trapecio. La primera vez había salido bien, tal vez habíamos tenido la suerte de los principiantes. Pero ¿y la segunda?

—Vamos, por favor —me rogó Bela colgándose de nuevo del trapecio boca abajo, con las rodillas flexionadas.

—Dejémoslo. Mañana, con la luz del día; así es muy peligroso.

—Mañana, tal vez, todo sea muy diferente. Por favor, señor Tuamigo, por favor...

No tuve más remedio que acceder. Aquel apodo cariñoso era como una caricia, como un mimo al que no podía negarle nada. Además, ¿y si Bela era capaz de lanzarse al vacío, aunque yo me marchara?

—¿Preparado? ¿Listo?

Estuve tentado de apearme de aquel despropósito. Recoger toda mi información y dejar la carpa, la niebla, el Gran Circo de Manchuria.

Pero algo me obligó a realizar lo que Bela me pedía.

—¡Listo!

Cuando él me lo indicó, lancé el trapecio en su busca. En esta ocasión esperó más, mucho más que la vez anterior. Parecía como si todo hubiera enmudecido.

Bajo la carpa, en medio de la niebla de la noche, no se escuchaba otro sonido que el de los alambres metálicos al balancearse, su suave crujido y tal vez la respiración cortada de Bela. ¿O era la mía?

—¡Ya!

El vuelo del ángel me sobrecogió. Ya no se trataba de un sencillo cambio de trapecio. Ahora el delgado cuerpo de Bela se había lanzado al aire con todas sus fuerzas, impelido hacia arriba, vertiginoso.

Y en medio del vacío, se había encogido en sí mismo, dando uno, dos giros mortales... antes de extender las manos hacia la barra que yo le acababa de lanzar.

Para regresar a la plataforma de seguridad su cintura se cimbreó, sus brazos se tensaron hacia adelante y su mirada cambió de dirección.

Yo estaba impresionado, con un escalofrío recorriéndome la espina dorsal. Jamás había visto algo tan arriesgado y tan bellamente ejecutado.

Quise aplaudir, pero noté que mis manos no me obedecían. Me sentía agarrotado por la tensión.

Pero los aplausos llegaron.

Alguien, además de nosotros, se encontraba bajo la carpa. Sin duda se había deslizado en medio de la oscuridad y, en silencio, había contemplado el bello espectáculo.

Después de dejar a sus pies un cuenco con fresas, Azul aplaudía emocionada, a la vez que desde sus ojos claros y rasgados brotaba una luz capaz de inundar de felicidad todo aquel rincón del circo.

—Y ahora, vamos a hacerlo juntos tú y yo, Bela. Solos tú y yo.

11 *La transfiguración*

SOLOS en los cielos. Porque en cuanto yo hube descendido (¡qué sensación más sorprendente la de volver a pisar el suelo, la arena de la pista!), una especie de convocatoria mágica hizo que lentamente, uno a uno, todos los habitantes del Gran Circo de Manchuria se fueran dando cita, en silencio, bajo los trapecios.

Era como si hubieran obedecido a una misteriosa llamada, que los obligara a contemplar lo que ni siquiera soñando podían haber imaginado.

Se concentraron alrededor de la pista, casi sin hablarse, esperando a que Bela y Azul regresaran.

Porque la pareja se había retirado por unos instantes, cogida de la mano.

Sin embargo, todos estaban seguros de que volverían. De eso no cabía la menor duda.

Mientras tanto, me agaché para tomar una fresa entre mis manos. La contemplé largamente hasta que decidí comerla.

—Veo que no se ha ido —dijo una voz a mis espaldas.

No me hacía falta volverme para saber que se trataba de Zampiro.

Le respondí sin hacer el menor ademán de mirarle:

—No me perdería esto por nada del mundo.

—Ni yo tampoco —me respondió conciliador, a la vez que depositaba una de sus grandes manos sobre mis hombros—. Creo que esto es el principio de algo nuevo —continuó con cierta melancolía el tragafuegos.

—Estoy seguro de que es el principio de algo bueno —replicó con alegría Igor llenando sus pulmones de aire, mientras daba afectuosas palmadas en la espalda de su compañero.

¿Qué extraña cordialidad se había apoderado de todos los habitantes del Gran Circo de Manchuria?

Entonces aparecieron.

Se habían transfigurado.

De momento, en la oscuridad, sólo se percibían sus siluetas. Pero incluso en esas siluetas uno se daba cuenta de que algo había cambiado.

Cubrían sus cuerpos con unas capas que ondeaban al andar.

Pude contemplar su color cuando un haz de luz se centró en la pareja, a la vez que sonaba el redoble del tambor.

Todo el mundo estaba en sus puestos: los electricistas, los músicos, incluso el público, aunque en esta ocasión se tratara de un público muy especial, compuesto única y exclusivamente por los propios compañeros.

Las capas brillaban en escarlata, y estaban bordeadas por un ribete dorado.

Y bajo ellas, el traje ajustado, blanco y negro, de Bela; y el de Azul, de seda y raso, con plata y oro, lentejuelas y plumas de ave.

La pareja saludó al respetable antes de ascender hasta la cima del mundo.

Se escucharon unos aplausos, el redoble creció... y en un instante se hizo el más impresionante de los silencios.

Entonces, ambos se desprendieron de sus capas, que dejaron caer sobre la pista como si fueran pétalos de amapola.

Afuera, la niebla seguía envolviendo al Gran Circo de Manchuria.

Y aunque no hubiera sido así, ¿quién se habría percatado de la sombra que caminaba sigilosamente entre las *roulottes*?

Las calles provisionales de la provisional ciudad rodante se encontraban vacías.

Los pasos eran decididos a veces, a veces vacilantes, como si dudaran de hacia dónde dirigirse.

Pero el interrumpido sonido del redoble del tambor marcó el camino.

Gulli se abrazó a su cañón, como Aladino lo haría a su lámpara maravillosa. Tal vez esperando un milagro.

Zampiro se había sentado entre las dos cantantes calvas, que ahora llevaban sus cuchillos al cinto y estaban expectantes, con las bocas semiabiertas.

El malabarista y la contorsionista se cogían nerviosamente de la mano, como para enviarles su fuerza a los de las alturas.

Los payasos no estaban para reír, sino que contenían sus muecas pintarrajeadas, en un gesto de suma atención y de temor.

E Igor, muy nervioso e impaciente, había empezado a comerse las uñas de su única mano.

Yo, por mi parte, sabía que sólo por vivir aquel momento irrepetible había merecido la pena iniciar mi investigación sobre la pantera.

Antes, incluso, de que los dos se encontraran en los aires, ya sabía yo que Azul era fuerte, decidida y valiente. Que Bela era sensible, emotivo y cargado de ternura.

Y que ambos, allá arriba, juntos, eran capaces de cualquier cosa, por mágica e irreal que pareciera.

Por un instante sus cuerpos flotantes me recordaron la poesía, tal vez incluso las canciones de Lorelei, la única ausente en aquella reunión.

Decidí ir a su lado, hablarle y contarle lo que

estaba pasando. Incluso recitarle algún verso de Goethe o de cualquier otro poeta.

Pero al intentar salir, una figura recién llegada me cortó el paso.

Seiji Khan me sujetó por la manga, impidiéndome marcharme, pero sin dejar de mirar el espectáculo que se desarrollaba en lo alto de la cúpula.

Dos ángeles, dos aves, dos águilas. De vez en cuando alguna pluma se desprendía del vestido de Azul y caía suavemente, girando sobre sí misma, con el cañón hacia abajo, señalando el suelo donde acababa reposando.

Me fijé de reojo en Seiji Khan. Parecía cansado, llevaba barba de varios días, jugueteaba con sus largos mostachos, pero sus ojos estaban vivos. Vivos como no los había tenido desde que le conocí.

Quise decirle algo, preguntarle quizá que adónde había ido, que qué había estado haciendo, que...

Pero Seiji Khan, con un gesto, me hizo callar.

Noté que sus manos estaban manchadas de tierra húmeda, y que sus botas se encontraban embarradas.

Luego, tanto él como yo nos olvidamos de todo lo que no fueran los trapecios.

Azul y Bela habían nacido para volar. De eso no cabía duda. Para volar.

Sus manos eran alas, alas sus piernas. Todo su

cuerpo parecía agarrarse al aire como si fuera algo sólido, y también parecían manipularlo como si fuera plastilina.

Sus ojos, sus ojos rasgados y azules, redondos y negros, brillantes, sus ojos también parecían disponer de dedos con los que asir, con los que asirse a lo que no existía.

Y siempre, en todo momento, la sonrisa en sus labios. Los de Azul aún conservaban la huella ligeramente escarlata de las fresas.

Noté cómo la mano de Seiji Khan se clavaba en mi brazo, tal vez temeroso de que en cualquier instante sucediera algo irremediable.

Aunque al no tratar de impedir el espectáculo, era como si dijera «adelante, mis valientes, ¡adelante!».

Azul pareció recoger el reto mudo, tomó impulso y se lanzó con más fuerza todavía, decidida, impecable.

Su cuerpo surcó el vacío, dio en él dos, tres vueltas de campana; dos, tres saltos mortales, para inmediatamente caer en las manos de Bela.

Igor sacó de su bolsillo la armónica que a todas partes le acompañaba y se puso a tocar el vals de *El Danubio Azul*.

Las calvas lanzadoras de cuchillos comenzaron a tararearlo, mientras lo bailaban, en medio de una estruendosa salva de aplausos.

Incluso el hombre-bala quiso unirse al júbilo general accionando el mecanismo de su cañón y saltando por los aires.

La banda de música arropó a Igor de forma triunfal en aquella melodía durante tanto tiempo silenciada.

Sin duda, aquél fue el momento más especial y fascinante de toda mi vida. Apenas podía respirar de la emoción.

Y como apoteosis de todo aquello, unos y otros pudimos escuchar la canción que Lorelei entonaba con una intensidad y un tono jubilosos totalmente desacostumbrados, quizá porque el vals le había recordado el río del que procedía:

¡Brillan y florecen
los juveniles días!
¡Gocemos los dos juntos
de tantas alegrías!

12 *Las alas de la pantera*

HA pasado algún tiempo, pero esta noche de nuevo hay luna llena. Como cuando desapareció la pantera, la noche del cumpleaños de Azul, de Bela.

¿Qué queda de todo aquello?

Un círculo en el suelo, el de la antigua pista; las huellas de los carromatos, de los postes, de las gradas que ya no están.

Al fondo del paisaje, bajo las estrellas, se puede distinguir el perfil de la cordillera de los Cárpatos, con sus montañas inamovibles, impresionantes, silenciosas, testigos mudos de la historia de Java.

Aún me parece seguir degustando el sabor de las fresas rojas, rojas como las capas de Los Águilas Humanas.

Aún escucho la risa de los artistas, sus bromas, su música y sus canciones. Los poemas y el vals.

Todavía me parece que fue ayer mismo cuando Seiji Khan vio por primera vez a Bela y a Azul juntos allá arriba, y clavó sus fuertes dedos en mi brazo.

—¿Ha regresado? —le pregunté entonces como si su presencia no fuera evidente.

—Aquí estoy, para siempre, con mis hijos.

Avanzó hacia el centro de la pista, para recibir a los trapecistas que descendían de los cielos.

Los abrazó cargado de emoción, sin poder contener las lágrimas.

—¡Por fin, otra vez los tres juntos!

—Papá... —exclamó Azul besándole repetidamente por todo el rostro.

Seiji estrechó a los dos muchachos contra su pecho, con los ojos inundados en llanto.

—Los hombres también pueden llorar, ¿verdad? —bromeó Bela con voz temblorosa.

—Deben llorar —afirmó Seiji, antes de contarles por qué se había marchado a los Cárpatos—. He ido a enterrarla, allá, en el bosque; nunca más marcará mis horas.

—Gracias, papá —Azul parecía haber perdido un poco de su entereza.

En cambio Bela parecía haberse fortalecido.

—Mis hijos... —repitió Seiji Khan sin fijarse en que los demás compañeros habían comenzado a abandonar la pista en respetuoso silencio.

La mayoría con una sonrisa de satisfacción en los labios, alguno con gesto de cierto desconcierto.

Zampiro, por ejemplo, se marchó pensando que

tal vez el circo fuera otro a partir de ese momento, y que acaso él ya no tendría cabida en lo que viniera en el futuro.

Tuvo razón. Seiji Khan decidió enterrar la bebida y el fuego junto al reloj de arena. Al suprimir su número, Zampiro se despidió del circo. Tal vez marchó a la India o al Nepal. Tal vez lo encuentre cualquier otro día en una barraca de feria, sacando algún sueldo con sus habilidades.

Igor, por su parte, regresó al lado de su amor a recitarle poesías, aliviado por no tener que subir nunca más a los trapecios. Los Águilas Humanas habían vuelto a ser tres, y ya no le necesitaban.

—Mis hijos, mis queridos hijos —repitió Seiji Khan volviendo a estrecharlos muy fuerte, como si temiera que un soplo de viento se llevara aquel momento.

—Tal vez no se haya dado cuenta —me permití interrumpir la escena. Estaba seguro de que aquélla era la única interrupción importante desde que pisé el Gran Circo manchú—. No sólo son sus hijos, creo que además están enamorados.

Bela me miró azarado, enrojeciendo tímidamente, mientras abrazaba con su mano la cintura de la muchacha.

Azul sonrió haciendo aún más luminosas sus pecas y sus ojos rasgados, a la vez que echaba el brazo sobre los hombros del chico.

Seiji miró a la pareja, primero a ella, luego a él.

Bela, tal vez por unos segundos, temió volver a ser rechazado.

Azul sujetó con fuerza la mano de su amigo.

—Hoy será el comienzo del resto de nuestras vidas —afirmó Seiji Khan empezando a caminar, al mismo tiempo que acogía con sus brazos los hombros de Azul y de Bela. Y repitió mientras se alejaban y yo me quedaba solo en medio de la pista vacía—: El primer día del resto de nuestras vidas.

* * *

¿Y luego qué?

Al fondo continúan estando los Cárpatos. Y allí, entre sus árboles, enterrada la madre de Azul.

¿Y qué más?

Corrí hasta la *roulotte* de Seiji Khan, donde estaba celebrando con Azul y Bela el regreso a la vida, brindando con su última copa de vino.

Ni siquiera la bebió; arrojó el contenido, junto con el recipiente, por la ventana.

Cayó a mis pies. Y el cristal se rompió mezclándose con el líquido rojo como la sangre.

—¿Y la pantera? —quise saber.

—Ah —replicó Seiji Khan, soñador—, la pantera... ¿Todavía le preocupa lo que sucedió con la pantera?

Iba a decirle que para eso había ido al Gran Circo de Manchuria, pero callé, porque ni siquiera yo estaba seguro de nada. En mi silencio llegó la respuesta:

—Ya le dije —me explicó como haría un maestro con su alumno— que los animales deben estar en libertad siempre. Y aquella noche, cuando me devolvieron la llave, pensando que yo estaba dormido, volví a utilizarla.

—Entonces, ¿fue usted quien soltó a la pantera?

—Digamos mejor que le devolví su libertad. Ya estaba bien, curada, sana, sólo le quedaba ser libre. Ahora espero que haya vuelto a su lugar. Es más, estoy seguro de que ha vuelto allá.

—¿Por qué está tan seguro? —le pregunté.

—¿Cree usted en las leyendas? —me preguntó Seiji Khan bajo la mirada dulce de Bela, bajo la mirada profunda de Azul.

Me volvió a contar la leyenda del arquero, que remató con las siguientes palabras:

—Me han dicho en Brasov que han descubierto huellas en la nieve, huellas pequeñas, que no son de lobo, ni de perro, ni de oso. Otros han llegado incluso más lejos, y aseguran que han visto a la pantera. Dicen que vaga por el bosque, con una flecha.

—¿Una flecha clavada?

—O una flecha en la boca, vigilante, siempre vigilante, mirándolo todo con sus ojos amarillos, según unos; verdes o azules, según otros; o incluso hay quien dice que la mirada de la pantera es de color rojo. ¿Quién lo sabe?

Miré a las tres personas que se encontraban frente a mí, y me dije que cualquier cosa que tuviera que ver con el Gran Circo de Manchuria sería posible.

—Y cuando estaba a punto de venirme, el más viejo de la localidad, que dicen está un poco trastornado de tanto vivir, me detuvo junto a la Iglesia Negra y me comentó que la noche pasada él también había visto a Java desde una ventana de su cabaña, que linda con el bosque. Y me aseguró con firmeza que, aunque parezca una locura, a la pantera le habían salido alas... —Seiji Khan hizo una pausa y me sonrió con dulzura—. ¡Quién sabe! Y ahora que ya conoce toda la historia, amigo, vuelva cuando quiera.

En realidad era una invitación para que me marchara. Tal vez deseaba estar a solas con ellos.

Abandoné aquel lugar mientras escuchaba a mis espaldas la voz cariñosa de Bela:

—Adiós, señor Tuamigo, vuelve pronto.

* * *

Hace ya mucho tiempo de esta historia. Una historia que no escribí para el periódico, sino que poco a poco se fue convirtiendo en un libro. En este libro.

Un libro que he escrito para saber más cosas del Gran Circo de Manchuria, donde todo era posible; de Seiji Khan y sus compañeros, de Lorelei, de Azul, de Bela... Un libro que he escrito para saber alguna cosa más de mí mismo.

Un libro en el que fuera capaz de demostrar lo que me decían mis sentimientos, lo que cantaba mi corazón: que aquellos chico-chica de apenas catorce años podían enseñar a los mayores que un hombre es más hombre cuanto más sepa sentir como una mujer. Que una mujer es más mujer cuanto más cerca se encuentra del espíritu de un hombre. Y que ambos se fusionan si existe el amor.

El amor de Azul y Bela, de Bela y Azul.

A ellos les agradezco que me permitieran conocerlos, les agradezco incluso que existan, porque estando juntos me han enseñado mucho más de lo que nunca creí que pudiera aprender con personas tan jóvenes.

Tal vez la próxima vez que los vea nadie se despida de mí, nadie me diga *adiós*; sino que me reciba con un ilusionado *hola*.

—Hola, señor Tuamigo, qué feliz soy de volver a verte.

Y yo, sin que me importe emocionarme o incluso llorar, responderé:

—Yo sí que soy feliz de volver a estar contigo, con vosotros.

Los abrazaré, les entregaré mi libro, les diré que ahora es de ellos más que mío.

Y mientras esté pensando, bajo la carpa del Gran Circo de Manchuria, que también para el señor Tuamigo será el primer día del resto de su vida, tal vez los tres juntos volvamos a escuchar, allá a lo lejos, por los bosques de la cordillera de los Cárpatos, el rugido de una hermosa e inquietante pantera negra.

Ojalá.

Índice